MEUS COMEÇOS E MEU FIM

NIRLANDO BEIRÃO

Meus começos e meu fim

COMPANHIA DAS LETRAS

Copyright ©2019 by Nirlando Beirão

Grafia atualizada segundo o Acordo Ortográfico da Língua Portuguesa de 1990, que entrou em vigor no Brasil em 2009.

Capa
Alceu Chiesorin Nunes

Preparação
Márcia Copola

Revisão
Thaís Totino Richter
Clara Diament

Dados Internacionais de Catalogação na Publicação (CIP)
(Câmara Brasileira do Livro, SP, Brasil)

Beirão, Nirlando.
    Meus começos e meu fim / Nirlando Beirão. — 1ª ed. —
São Paulo : Companhia das Letras, 2019.

    ISBN 978-85-359-3230-0

    1. Beirão, Nirlando 2. Crônicas brasileiras 3. Jornalistas –
Brasil – Autobiografia I. Título.

19-5630   CDD-B869.8

Índice para catálogo sistemático:
1. Crônicas autobiográficas : Literatura brasileira B869.8

Maria Paula C. Riyuzo – Bibliotecária – CRB-8/7639

[2019]
Todos os direitos desta edição reservados à
EDITORA SCHWARCZ S.A.
Rua Bandeira Paulista, 702, cj. 32
04532-002 — São Paulo — SP
Telefone: (11) 3707-3500
www.companhiadasletras.com.br
www.blogdacompanhia.com.br
facebook.com/companhiadasletras
instagram.com/companhiadasletras
twitter.com/cialetras

Como podemos obter a verdade com palavras?
Mestre Chan Niu-tou Fa-Yung (594-657, Yen-ling, China)

Sumário

A notícia, 9
Juízo Final, 14
O padre Beirão, 18
Campos das Gerais, 24
Ancestralidade, 28
Futebol Clube, 31
Belle époque tropical, 34
O amor tem pernas, 38
O vento não fala, 43
Escorpião no galpão, 46
Um brinde no seminário, 51
De volta a Beira Alta, 54
A cidade do sonho, 58
É mulher, 60
Futuro do pretérito, 65
Pinups na cabeceira, 71
Deus existe, 76
Capitalismo monopolista, 81

Rua da Trinitária, 96, 85
O mal do exílio, 89
Lusco-fusco, 94
Labaredas de culpa, 98
Boina, cardigã e compêndios de história, 103
Aleph, 107
Breaking news, 110
Cena em família, 115
Abraço no passado, 120
A palavra obrigatória, 123
Últimas palavras, 128
Ampulheta e cotonetes, 133
Presidente Bossa-Nova, 136
Sonhos, sonhos são, 139
O derradeiro labirinto, 142
Tom maior, 147
Uma questão genética, 153
Fanático do Apocalipse, 156
Uma ficção que deu certo, 161
Ponto e vírgula, 166
Um antropólogo no sus, 170
Madeleines mineiras, 173
Não vai ter Copa, 178
O processo do fim, 181
Uma última mentira, 185

A notícia

No início de julho de 2016 — o dia eu tenho com certeza anotado, mas é hoje cruelmente irrelevante — fui diagnosticado com uma doença degenerativa do neurônio motor. "Degenerativa" é uma palavra que tira você para dançar — uma dança de medo. "Degenerativa", a palavra me pinçou a alma quando o médico a pronunciou, me tirou o chão. Foi como se tivesse sido de repente transportado do asséptico cenário do consultório para uma irrealidade leitosa, distante dali, indecifrável no primeiro contato, mas sabidamente sinistra e hostil. A consciência piscou.

As pessoas, ao morrer, vivenciam um estrépito de luzes — é o que dizem os espiritualistas. Eu, ali, frente a uma revelação de trevas, como que ingressava na penumbra fosca de um corredor sem saída.

Tenho dificuldade em acolher más notícias. Costumo desligar o botão do pânico.

Mais uma vez, me abstraí num autismo boquiaberto enquanto o neurologista traçava, com punho firme de artista, o esboço didático da minha moléstia. Um círculo perfeito, a que ele chamou de coluna, e dentro uma figura com tentáculos, o assim denominado neurônio central.

Naquele molusco insidioso reside a essência de minha tragédia. Ele decidira falhar, inapelavelmente, numa — aprendi pelo Google — conjuração tóxica de enzimas. Doença sem cura e sem piedade, mas cujas consequências, as mais paralisantes, podem ser adiadas, me tentam convencer, por um elenco de paliativos, um medicamento aqui, muita fisioterapia acolá, injeções japonesas de vitamina e uma dieta que compense a progressiva perda de massa muscular.

A minha, bem, condenação viera escrita em duas páginas bastante conclusivas, resultado de um exame — eletroneuromiografia — que fiz depois de muito azucrinar mais de um neurologista. Minúcias de números ilustravam a sentença diabólica.

A ignorância me protegeu do perigo que poderia vir do tal exame — e que acabou de fato vindo. Cheguei a brincar, após a longa sequência de choques e de picadelas de agulhas: "Parecia o DOI-Codi". Comparação idiota, de mau gosto, que agora me irrita.

Fico me perguntando se não teria sido melhor ignorar a sugestão da minha jovem instrutora de pilates, inconformada com aquele pé esquerdo que omitia certos movimentos elementares, e também da fisioterapeuta, preocupada com a minha démarche já oscilante de beberrão de rua.

Que consolador seria se ainda estivesse iludido com

contratempos ortopédicos de um mero joelho *craquelé*, mesmo que ao custo eventual de uma ou outra queda de incômoda surpresa, como vinha se tornando rotina.

É fatal que eu fique escrutinando o futuro, com a ansiedade hasteada, em busca da resposta impossível sobre o tempo que ainda resta. Mas é o passado que me subjuga, dia e noite, enumerando, como numa penitência sem remissão, tudo aquilo que nunca fiz e que talvez devesse ter feito — e que nunca mais farei.

Nunca aprendi a nadar. Nunca fui um companheiro incondicional. Nunca pilotei uma Ferrari. Nunca fiz sexo debaixo da escada. Nunca mais voltei a Nova York. Nunca fui a Cartagena. Nunca recebi o Prêmio Esso. Nunca me hospedei no Ritz de Paris (nem no de Madri). Nunca fui poeta (rabisquei, é verdade, um único poema, de duvidosa *artesanía*, condoído pela morte do menino refugiado, seu corpo inerte numa praia da Grécia). Nunca pensei na aposentadoria que me deixaria hoje confortável. Nunca. Nunca. Nunca...

Minha companheira de todos os dias passou a ser a palavra "limite". Tentar tornar os obstáculos mais elásticos é o que me resta, na ansiedade de um legado ainda sonhado. Meu repertório — de novo, limitado — me sugere um livro. O meu livro, como cobram os amigos, em desafio que me arrepia.

De uns três anos para cá eu vinha arrastando um compromisso assumido comigo mesmo, o de narrar a saga amorosa de minha avó e meu avô. Talvez assim pudesse burlar o tabu familiar envolto em sussurros e em culpa pelo fato de meu avô ser pároco de uma cidadezinha do interior quando trocou o amor divino pela paixão terrena.

Digo compromisso, mas na verdade pressenti que a

narrativa iria ter mais a ver com prazer do que com dever. Me fascina trafegar pelos interstícios do silêncio sufocado, e o que a família fez foi exatamente tentar calar, pelo pavor da danação eterna, uma bela história de amor. O deus barbudo, ditador dos cânones morais, não perdoaria vovô e vovó pela impertinência de um ardor interdito.

O proibido do caso me atraiu. Mais ainda, me entusiasmou o desfrute de ir juntando, para construir uma narrativa, os cacos de um mosaico imperfeito, pedacinhos de inconfidências que nem sempre se encaixavam com a necessária coerência.

Sem que me desse conta, o passado familiar se emaranhou nas vivências do momento. Uma narrativa se fundiu à outra. Falar de um amor proibido e corajoso pode compensar minha tendência de, ao falar de mim, me deixar levar por um acervo de autocomiseração (como gosto dessa palavra!).

A narrativa que aqui percorro dormitava em projeto indolente que eu haveria um dia de concluir. Comecei lentamente, remexendo memórias lusitanas, mas minha atual condição desencadeou uma urgência ansiosa. Em torpores notívagos, não consigo desvencilhar da doença progressiva um rastro de culpa pecaminosa, como se eu estivesse sendo punido por uma praga rogada, uma penitência alheia, ainda que herdada de minha ancestralidade.

Não tenho, porém, vocação para o sacrifício beatífico. Desperto de minha vigília atormentada, e a lembrança que me vem do padre Beirão, de Oliveira, e de sua desaforada paixão confere alívio, não sofrimento. Preciso continuar me revigorando aqui com o eco antes sufocado de uma peripécia de amor e audácia.

* * *

As palavras me despertam à noite, em escrevinhação borbulhante que, no entanto, apago à luz do sol. Assim tenho vivido. Entre o passado que assoma, carregado de culpas, de frustrações e de buracos, e o futuro de enigma insondável, sorvo, no presente, o duvidoso privilégio de chorar todos os dias a minha própria morte.

Juízo Final

Meu avô morreu à noite, ou talvez de madrugada. Fui despertado por um fiapo de luz que de súbito se infiltrou por debaixo da porta do quarto e por vozes abafadas que se aliavam à escuridão para arregalar as pupilas de minha alma medrosa. Fechei os olhos, tentei dormir.

O torpor sempre me era pior do que o pesadelo, pois da obscuridade ambígua da semiconsciência costumava irromper a profecia do Apocalipse, minuciosamente elaborada pelo catecismo católico, com sinistras labaredas ávidas para lamber em castigo eterno os que, como eu, se não pecavam significativamente em atos, o faziam fartamente em pensamento. O fim dos tempos se dizia próximo, as trombetas do Juízo Final já se ouviam ao longe.

O desfecho que levou meu avô, sabiam-no iminente, mas só agora é que o percebo, tanto que se providenciou a presença entre mim e meus irmãos — Paulo, Leda e Fátima (Nereide ainda não tinha nascido) —, não sei se na noite fatídica ou na manhã seguinte, de uma de minhas tias, irmã de mamãe. Fora com certeza recrutada às pressas para, em meio àquela sinfonia de sussurros, nos aconchegar entre cafunés e psius, em cumplicidade com nossa empregada, a Lígia, soberba nos pitéus e robusta nos afetos.

Creio que foi minha mãe quem me disse: "Seu avô Beirão morreu". Aos oito anos de idade, vivemos imersos numa barafunda tão pastosa de angústias e de fabulações, exilados no baú profundo de cegueiras pessoais, que eu mal sabia avaliar o estado terminal de um avô no entanto tão querido. Nem sequer dos antecedentes me dei conta, da cirurgia que se tornara obrigatória, da natural ansiedade de meu pai, o único dos filhos varão, o qual nunca sonegou, ao longo da vida, nem à tristeza nem à alegria o repertório de suas lágrimas inesgotáveis.

Nada — eu vivia em outro mundo. A única vez que uma centelha de desconfiança cutucou-me a couraça emocional foi no aniversário de meu avô. Data fácil de lembrar, efeméride compartilhada com a América de Colombo. No apartamento em que ele e minha avó se instalaram depois de uma lenta vilegiatura em Portugal, no colo da família para o rito do que vovó sabia ser o definitivo adeus, as velas do bolo anunciavam sessenta e nove anos.

A atmosfera da sala, a ser festiva, congelara-se como que num bloco de resignação e melancolia. Eu — sim, preciso acreditar que fui eu — aproximei-me do bolo e inverti a ordem das velas. Noventa e seis anos — "Vai chegar lá", ouvi alguém dizendo, numa salva de aplausos e risadas. Meu avô riu, mas recolocou as velas na ordem correta.

Não haveria de faltar ocasião para que eu viesse a fazer da lembrança da traquinagem o pretexto de um mea-culpa, elixir amargo de uma paranoia no entanto tão megalomaníaca. Como podia acreditar que, com um simples movimento de peças, como no ato de manusear as cartas do tarô ou no lançar dos búzios, eu teria o dom de interferir no jogo da vida — e da morte? O certo é que vovô morreu aos sessenta e nove anos. Me parecia velhíssimo. Agora, eu iria fazer sessenta e nove em setembro. Se a vida é feita de metas, essa é a minha — quem sabe, a derradeira.

A morte de vovô suscitou uma peregrinação à nossa casa, onde vovó foi recolhida em sua solidão de viúva e sua infinita tristeza. Lenços eram encharcados na presença dos visitantes, mas o que de fato intrigou o neto mais velho, sempre meio aparvalhado, foi a ladainha inflamada de terços, orações, novenas — um exagero, me parecia. O que aquele senhor de hábitos tão corteses e tão amáveis havia feito de tão medonho que pudesse levá-lo a merecer, se rezas não viessem em seu socorro, a praga da danação eterna? Aquilo ficaria na minha cabeça.

As visitas se revezavam, com a solidariedade curiosa que tenta fustigar o enigma da morte. "Abriram e fecharam", repetia meu pai, referindo-se à cirurgia frustrada e tardia, incapaz de aplacar a violência do câncer. Para os mais íntimos, minha avó sacudia um vidrinho com pequenas pedras, o último e triste patrimônio de meu avô que os médicos entregaram a ela: era o que atormentava sua vesícula.

Minha avó cobriu-se de negro, e meu pai passou a envergar uma braçadeira preta como aquelas de mafiosos sicilianos enlutados em filmes de Elio Petri. Era hábito da época — estamos aí falando do fim da década de 1950. Chamava-se "fumo", a braçadeira. Ficava elegante junto aos ternos cinza do papai.

Nós, as crianças, não fomos convidados para o enterro do vovô, o que deve ter contribuído para disparar o gatilho do pior de minha imaginação. Não me cabia a ideia de que, *puft*, as pessoas pudessem desaparecer, simplesmente sair de cena, numa escuridão eterna a que não tínhamos acesso. Não, eu sabia de meu avô morto, mas precisava, mesmo assim, acomodá-lo em algum território físico, ainda que secreto, resguardado do transtorno dos vivos. Foi o que minha fantasia não demorou a providenciar.

Na nossa casa havia um corredor que conduzia da ala social aos quartos. No alto dele, espreitava um alçapão. Quando nos mudamos para lá, não muito tempo antes, encontramos uma escada em contato com o sótão, ainda salpicada pela cal, e eu consegui, escapulindo da vigilância de uma família de mil olhos, subir até o último degrau. O sótão abrigava os resquícios da obra terminada às pressas e um amontoado de móveis caquéticos e inúteis. Encanei que, morto, meu avô fora se recolher à velha poltrona amortalhada pela poeira.

Era um problema atravessar o corredor sinistro sob o alçapão depois que a noite caía. Eu não queria de jeito nenhum perturbar o descanso de quem já se fora. Mas era só por ali que podia chegar ao meu quarto. Desenvolvi, então, uma técnica preventiva: fingia avançar numa démarche indolente e, ao passar debaixo do alçapão, acelerava numa correria tão ridícula que o Paulo passou a me arremedar. Sem ter a menor ideia do que alimentava a minha imaginação delirante.

Cabe hoje alguma ternura em memórias tão estapafúrdias. A gente vai chegando a uma idade em que o passado sopra como uma brisa para arejar o presente. Especialmente quando o futuro se submete à metáfora de um alçapão tão tenebroso como aquele lá de casa.

O padre Beirão

António Cabral Beirão, meu avô, nasceu em 12 de outubro de 1887 em Mangualde, distrito de Viseu, na Beira Alta. Durante meus tenros anos, quando alguém da família mencionava Mangualde, era para acentuar o seu desprestígio hierárquico diante da capital provincial. Mangualde, eu ouvia, era "um povoado minúsculo, de poucas almas", "uma mísera aldeia". Viseu, sim, adquirira ao longo dos séculos a imponência ancestral de comuna, à sombra da Sé em estilo românico e dos inspirados afrescos de Vasco Fernandes, o Grão Vasco, a figura mais próxima que Portugal teve de um Giotto ou de um Cimabue — antes de virar rótulo de vinho popular.

E assim imaginava eu o rincão natal de vovô, de humildade sofrida e labores da terra, como numa novela de Almeida Garrett. Até que Albertinho, o tímido revisor de uma das inúmeras revistas em que trabalhei, me convenceu, décadas depois, de uma Mangualde de operoso dinamismo, cidade de pujança única, bafejada pelo frenesi comercial do eixo rodoviário que, procedente do litoral de Aveiro, corta o norte de Portugal ao pé da serra da Estrela até desaguar, em sinuosa harmonia com o rio Mondego, na ilustre Salamanca de Espanha. Nem preciso dizer que o introvertido Albertinho era, assim como vovô, um nativo de Mangualde.

Tive eu mesmo a felicidade de um dia — literalmente, uma manhã e uma tarde — pôr em xeque as duas versões sobre Mangualde, a da depreciativa memória familiar e a do revisor entusiástico. Não cheguei a me deter no centro urbano, mas pude, da varanda de um restaurante a cavaleiro da já citada autoestrada, descortinar toda, ou quase toda, a paisagem local. A caçarola de mariscos com um branco afetuoso do Dão, de cepa encruzado, me fez acreditar, com olhos embargados de saciedade, que ali havia civilização.

Não era uma família de camponeses, a do meu avô. O pai dele, José de Pina Cabral, foi do comércio, saía a apregoar, fazendo poeira pelos caminhos do sul, que conduziam a Coimbra, léguas e léguas adiante até mesmo a Lisboa, os pitéus da região, não se esquecendo obviamente daquele vinho capitoso que mais tarde haveria de merecer a chancela honorífica da região demarcada e de confraria báquica à qual me orgulho muito de pertencer. O vinho do Dão veio, portanto, misturado ao sangue.

É imperdoável, mas, ainda que revire na memória a árvore genealógica lusitana que um dia rascunhei com a ajuda da vovó Esméria, na busca de um pedigree improvável que me credenciasse ao ofício da diplomacia, o fato é que me lembro do nome do seu bisavô, pai do vovô Beirão,

todavia tive de ser lembrado no caso de minha bisavó —
uma vaga Mariana. O sobrenome dela era o banal Santos.
A propósito de nomes e sobrenomes, não há traço, na
geração anterior à do meu avô, do sobrenome contundente
— Beirão — que até hoje nos identifica. Era Cabral, o nome
de família. Foram as erranças mercantis do citado José de
Pina por vilas e freguesias de outras províncias que gruda-
ram nesse mascate o apelido O Beirão, aquele que veio da
Beira, e, orgulhoso da menção patronímica, ele decidiu deixar o Cabral em segundo plano ao nomear a sua prole.
O António foi o primeiro, depois vieram o José, o João
e a Conceição — e, desconfio, mais uma mulher. Houve
outros, precocemente falecidos, como acontecia com tanta
frequência na época; recém-nascidos ceifados por febres e
espasmos? Não sei responder.

O certo é que os filhos seguiram rigorosamente o roteiro
da tradição: o mais velho seria destinado ao serviço da Igreja, a mulher, aos deveres do lar. José se graduou médico e
ficou na província, e João se distinguiu na advocacia, com
foro em Lisboa e descendência ambiciosa, filhos e netos
enraizados em França quando era moda, ou necessidade,
no pós-guerra, esse tipo de *doux* desterro.

Vovô desempenhou o fardo dinástico no seminário de
Viseu, de paredes espessas como as de um presídio. O sigi-
lo imposto pelo posterior tabu nos impede de saber se ele
foi de vontade própria — pouco provável — ou se cumpria uma daquelas frequentes promessas devotas. De todo
modo, o seminário poderia lhe proporcionar o mais clássico dos saberes, com imersão no grego, no latim, no português castiço, nas humanidades — o que viria a lhe servir futuramente. Prosódia, filologia românica, etimologia,
oratória, teologia, história sagrada recheavam a labuta dos
currículos martirizantes.

20

De mais a mais, a família, ao destinar seu rebento para a causa divina, estava dispensada de gastar com sua formação. Nos seminários, a Santa Madre Igreja, rica em posses e abastecida em óbolos, bancava o investimento nos potenciais operários da fé.

O seminarista António acabou por tomar as ordens eclesiásticas, vestiu a batina sacerdotal, podia oficiar missa e ministrar os sacramentos, no fim daquela longa jornada de provações e penitências, anos e anos de banho gelado, submissão hierárquica e repasto franciscano. É, virou padre, nosso António, deixou de ser o mero Tuninho dos Beirão (Tuninho, a ser pronunciado, assim, à moda lusitana, com a elipse total do "o", que vira "u").

Mas quem tinha mesmo physique du rôle de padreco e convicta vocação para o celibato era aquele colega de seminário também de nome António: António de Oliveira Salazar. Tornaram-se amigos. O dito Salazar escapou, porém, do magistério sacerdotal, e se daria por satisfeito em transferir seus recalques de virgindade solitária e seus achaques de emissário da verdade para o campo da política. Virou ditador, o professor doutor Oliveira Salazar, e por lentas décadas a fio reduziria Portugal do século XX ao simulacro de um mosteiro do Baixo Medievo.

Cresci ouvindo no sotaque de meu avô os ecos de uma melancolia afetuosa que tem no fado o seu melhor tradutor. Portugal conseguiu ser, para nós, próximo e distante, como uma paixão que buscamos esquecer mas que se obstina em ficar. É abrir uma página do Eça, solfejar uns versos de Pessoa para que o mar salgado que nos separa ("quanto do teu sal/ são lágrimas de Portugal") se estreite numa convulsão de afetos. Nas partidas da Seleção Portuguesa, choro no hino e sou acometido de um incompreensível enlevo para com o problemático Cristiano Ronaldo.

* * *

Não faz muito tempo, me vi numa magnífica pousada de Amarante na expectativa de uma degustação de vinhos da região — a região dos vinhos verdes. Era uma noite deslumbrante e a janela da pousada se abria para as tímidas luzes da cidade, uma das mais belas de Portugal, e para o rio Tâmega, que leva no seu curso sereno a memória agitada de façanhas guerreiras.

Um dos enólogos presentes se intrigou com meu sobrenome, e o diálogo se seguiu mais ou menos assim:

— É Beirão por empréstimo — informei. — O sobrenome de verdade é Cabral.

— Cabral? Eu sou Cabral — disse ele, esticando o cartão de visita. — Vocês são Cabral de onde?

— Cabral da Beira Alta. Meu avô era de Viseu.

— Não era de Viseu, eu garanto.

— Desculpa, a gente sempre diz Viseu por preguiça, sei lá, porque é a cidade grande, mas meu avô nasceu em Mangualde.

— Mangualde, eu sabia! Os Cabral são de Mangualde. Somos primos, ó pá!

O enólogo, João Cabral, trabalha em vinícolas do Minho, mas tratou de informar que cultiva suas próprias videiras no solo de Mangualde e que dali extrai, em minúscula produção, um néctar abençoado. É um dos nossos, se vê.

Discorremos sobre o outro Cabral, que conquistou a primazia midiática — aquele que errou de rumo e acabou produzindo uma tremenda encrenca histórica. Eu quis saber do meu — agora — primo João, primíssimo, o que o Cabral dos livros tem a ver conosco.

— Nada — falou, com ar de quem queria me tranquilizar. — O ramo do Pedro é lá de Belmonte, ao pé da serra da Estrela. Nós descendemos de João Álvares Cabral, o irmão mais velho dele. Mais velho, mais rico, mais inteligente...

— E mais bonito — completei.

Meu primo João, o enólogo, apreciou o pormenor. Mais para o fim da noite salpicada de estrelas e inebriada de vinhos, ele ainda viria me apresentar a definitiva prova de nossas raízes comuns.

— Nós, Cabral, choramos muito — disse.

Quase me debrucei no ombro dele para chorar.

Campos das Gerais

Levou um século para ser concluída a matriz de Oliveira, em Minas Gerais. De 1754, quando fincou suas fundações onde havia mísera capelinha, a 1856, ano em que a segunda torre espetou definitivamente o céu de nuvens mansas, altivo tributo a Nossa Senhora da Oliveira e à vila que logo se tornaria cidade.

Está longe de ter, a matriz de Oliveira, a imponência barroca das igrejas de Ouro Preto. A antiga capital de Minas traz o ouro em seus alicerces majestosos, muito ouro, ainda que de efêmera duração. Sua mística colonial, formidável tesouro arquitetônico, se preserva nos becos libidinosos, nos fantasminhas brincalhões e na nobre arte dos sineiros, capazes de dialogar uns com os outros, de seus campanários de pedra, numa sonata de improvisos melodiosos.

De vez em quando, meus amigos de Ouro Preto botavam no telefone as badaladas da matriz de Antônio Dias ou da matriz do Pilar, abastecendo meu compromisso afetivo com aquela que é para mim uma cidade de beleza metafísica.

Oliveira, eu só conheço de passagem, no caminho entre Belo Horizonte e São Paulo. Mas sua igreja matriz é uma involuntária relíquia de minha história. Pelo lento escorrer da obra, dá para imaginar de quanto sacrifício e abnegação os fiéis tiveram de dispor para irrigar o sonho um dia materializado. Fácil supor que Oliveira tenha orgulho de seu persistente patrimônio de fé.

O padre Beirão chegou na década de 1910, com o sotaque arrevesado do qual jamais se livraria, para ser o inquilino daquela matriz e pastor daquelas almas.

A igreja impõe até hoje uma ambiguidade entre o Barroco e o Rococó, típica da arquitetura colonial mineira na segunda metade do século XVIII — o esplendor da mineração e o regaço de uma surpreendente civilização nos trópicos.

Abro aspas para meu amigo Ângelo Oswaldo, que melhor autoridade não há. A igreja exibe "torres redondas e frontão com recortes sinuosos. Sua portada apresenta um belo e sóbrio trabalho em pedra-sabão, no qual se tem um nicho com a imagem da Virgem trazendo nos braços o Menino Jesus. O ponto alto da decoração interna é o forro da capela-mor. A temática é a Virgem sendo coroada pela Santíssima Trindade. A cena está dentro de um medalhão todo cercado de singelas flores, bem ao gosto da decoração rococó. Complementando a pintura ao redor do forro, estão os quatro doutores da Igreja e os quatro evangelistas. O conjunto da obra é de extrema graciosidade".

A inscrição em latim "Quasi oliva speciosa in campis" (Qual oliveira formosa no campo) acabou sendo adotada como moto pela cidade.

Diante da fachada restaurada da velha matriz, voltada para uma praça mimosamente arborizada, tento reconstituir mentalmente o que teria se passado lá dentro, na azáfama cotidiana do pároco lusitano, o frenesi madrugador das beatas, o sacristão tristíssimo, de mãos solenes, a umidade brônquica exalada pelas paredes de pedra, os ritos litúrgicos, a missa cantada, o miasma do incenso impenitente. Mas, por mais que eu busque no tal sacerdote imaginário uma semelhança com meu avô, não consigo encontrá-la — as silhuetas não batem, as figuras não combinam. Se Oliveira tem hoje pouco mais de quarenta mil habitantes, quanto é que teria na segunda década do século xx? Três mil? Quatro mil? Um mundinho fechado em si mesmo, com aquela intimidade respeitosa, de fachada, típica da gente mineira, contra a qual línguas afiadas estavam sempre prontas a conspirar, mas atrás da porta, no reduto do lar, quando muito no sussurro cauteloso das comadres debruçadas nas janelas. O padre e a moça romperam o lacre da hipocrisia.

A gente não sabia nada de Oliveira, embora, por ocasião de uma das viagens épicas da família em férias, tivéssemos sido obrigados a pousar uma noite ali, todos nós, aquele frege de criançada, papai, mamãe, a Lígia, babá de toda a prole, por conta de um enguiço da voluntariosa Kombi. A impressão que me ficou foi a de um ligeiro desconforto do papai com a escala. Talvez o Grande Hotel, onde pernoitamos, tenha lhe mexido com emoções pretéritas e silenciadas.

Da história de amor travestida em escândalo, quem primeiro levou uma bofetada foi Solange, minha irmã caçula, quando adolescente. Ao ser apresentada, com nome e sobrenome, à avó de um namorado seu, viu a jararaca persignar-se em convulsivos sinais da cruz, ao mesmo tempo que bradava: "Neta do padre Beirão, vejam só!". E repetia e repetia, em transe. De volta a casa, ainda assustada, Solange consultou mamãe, que, no controle de sua sábia discrição, contou com atalhos de sutileza a verdade que tinha de ser contada.

Nos meus muitos anos, décadas, de São Paulo, convivi com amigos de Oliveira, e era fatal que hora e vez irrompesse entre nós, entre risos, sem afronta, a saga do padre Beirão e sua franzina amada, história que naturalmente ganhou lugar cativo na crônica mundana da cidade.

De um desses meus amigos, médico de sucesso, ouvi uma versão bastante lisonjeira — e compreensiva — para a apressada fuga que os amantes necessitaram empreender rumo a um limiar de horizonte. "Ele ouvia as confissões das devotas e dos devassos", palpita o doutor. "Era a caixa-preta de todos os nossos pecados. Tinha de escapulir correndo dali."

Ancestralidade

Diferentemente do que pregam as Sagradas Escrituras com sua carranca de dogma, o homem levou alguns milhões de anos para descer das árvores, erguer-se no solo e passar a se locomover sobre duas pernas. Milhões de anos. Eu não vou precisar de mais que alguns meses para voltar ao estágio inicial.

Tecnicamente — me tranquilizou a fisioterapeuta na primeira consulta — ainda podia me considerar um bípede. Por mais que isso me cobrasse o amparo cuidadoso de uma bengala canadense e o embate cansativo contra pernas de rigidez comparável à de uma geleia. Era como se o chão vacilante, traiçoeiro, que eu pisava estivesse movendo-se o tempo todo ao ritmo de um abalo sísmico de escala modesta — menos mau! — igual àqueles, diários, da Califórnia.

Nem vou falar da qualidade das calçadas de pedras cariadas, como reclama, com toda a razão, minha amiga Lucy.

Na avenida dos pedestres urgentes, eu me permito

observar, entre a inveja e a tristeza, o desfile dos bípedes incansáveis. Sendo esse um território de profissionais de boa estampa e enfatiotada ambição, distraio-me com as executivas a bordo de saltos vertiginosos, arrastando seus laptops em malas de rodinhas, e me indago por que os rapagões das finanças se obrigam, sem exceção, a usar aqueles sapatos cujas biqueiras, pontiagudas como as de um paxá da Pérsia, os precedem em mais de meio metro na calçada. Correm tanto, os engravatados, que deixam a sombra para trás.

Vejo os sacudidos motoboys com suas proletárias botinas de borracha e a garotada risonha das escolas com seus pares de All Star propositalmente surrados, e sinto saudade do meu, azul com detalhes em vermelho e branco, capaz de cumprir a fantasia de uma *liberté* em *bleu blanc rouge* que dos pés subia até a cabeça, entre adereços igualmente sonhadores de um incurável egresso dos rebeldes anos 1960. Bem que tentei, não faz tanto tempo. Num daqueles almoços de negócio de que jamais gostei, uma produtora relacionou o All Star azul com meu transtorno pretensamente ortopédico. "Não faça isso, é uma armadilha", me alertou. "Queda na certa."

Supus que o solado de borracha e a estrutura ao rés do chão daquele modelo de tênis me propiciariam maior firmeza. Ilusão. Tenho uns doze sapatos, já os escrutinei, a todos, e ou estou muito enganado ou nenhum deles me confere tanta segurança quanto um *brogue* pesadão e quase novo, fino e elegante, é verdade, que comprei em Londres vinte anos atrás mas cuja coloração havana puxada para o tangerina restringiu o uso a ocasiões de suprema ousadia fashion.

Bem, na avenida enérgica os bípedes trafegam, em atropelo célere, e, enquanto os observo, tão automáticos, em sua caminhada, ação tão simples, tão banais os movimentos, é como se entre mim e eles descesse uma membrana de irrealidade, o som ambiente fenece tal qual num filme mudo, as imagens se aceleram — e eu vou desencarnando do mundo, tão distante ele ficou, tão violento ao me impor o confronto com o que é apenas uma rotina filogenética de milhões de anos, andar com as próprias pernas, e que, no entanto, não posso mais executar.

Aos domingos, a avenida hiperativa, dos protestos desfraldados, adquire a pachorra de um clube recreativo, não tem pressa nas duas pernas nem nas duas rodas que exploram as ciclovias tão amigas e, contudo, tão contestadas.

Como num footing do interior, os bípedes se movem na avenida domingueira sem aparentemente se darem conta de seu moroso privilégio. Mas há um ou outro que, indiferente à comparação dolorida com eles, tenta desfrutar o momento com a guarida de seus apetrechos mecânicos.

É o que preciso fazer também: parar de me comparar com os demais. E seguir a vida, mesmo aos tropeções.

Futebol Clube

Certa noite meu polegar esquerdo decidiu proclamar a sua independência. Creio que já estivesse dando sinais de rebeldia, mas de repente passou a se movimentar, em espasmos regulares, de acordo com seus próprios e intransferíveis desígnios. Perdi o controle. Foi a novidade da vez. Cheguei a pesquisar no Google sobre Parkinson, e por algum tempo fiquei convencido de que parecia ser isso. Naquela tarde eu tinha me aventurado numa caminhada de duas quadras até a farmácia. Queria me oferecer a ilusão de alguma utilidade. Arrastar-me resignado à lentidão teimosa das passadas, pilotando com cautela extrema o piedoso andador com rodas, foi como correr uma maratona. Voltei exausto, ainda que orgulhoso da façanha.

Encontrei pelo caminho o olhar carinhoso do cadeirante da esquina. Senti algo parecido a uma flechada de enternecimento; logo da parte de quem, não é? Mas havia na solidariedade do José Cláudio, pressenti, um quê de inconformismo. Era como se ele lamentasse em mim a triste realidade dos limites que o acometeram desde cedo, talvez desde sempre.

José Cláudio e eu nos conhecemos há mais de dez anos. Ele, em sua cadeira de rodas, no ofício de vender balas no cruzamento, todos os dias da semana, religiosamente, o guarda-sol colorido de praia protegendo-o também da chuva. Falamos de futebol. "Olha o craque da camisa 10", gritava ele à minha aproximação (não grita mais, já que o craque se encontra hoje entregue ao Departamento Médico). Torcedor do Santos, me sabia corintiano. Brincávamos com isso. Ele integra uma equipe de basquete de cadeirantes. Jura que é o astro do time.

Aliás, nunca o vi de mau humor. Nos dias em que eu despertava com as vísceras remexidas, passar por ele tinha o efeito imediato de me reconciliar com a vida. Reclamar de quê?

Eu me sentia guapo, arisco, quase saltitante, um Fred Astaire, um Gene Kelly, caminhando com a desenvoltura automática de todo ser humano — de quase todo.

Em minha instintiva superioridade, até a defesa de José Cláudio tomei, e nem faz muito tempo. As duas faculdades vizinhas de casa inundam as ruas, duas vezes por ano, num atropelo de barbárie a que chamam de trote. Comemoram a passagem no vestibular num ritual de humilhação e embriaguez. Povoam as esquinas com mocinhas cambaleantes e garotos maltrapilhos. Arrecadam dinheiro para comprar vodca barata.

Invadiram, um dia, a jurisdição do José Cláudio. Pedintes de luxo, arrancavam, de motoristas complacentes, sorrisos e moedas que fariam falta ao modesto comércio de balas do cadeirante, de repente atingido pela manada dos apadrinhados do statu quo. José Cláudio recolheu-se a um canto, com sua dignidade silenciosa, em flagrante contraponto à algazarra pueril e encachaçada dos calouros.

Não gostei daquilo e me aproximei com a atitude cinematográfica de "chamem seu líder". Foi mais ou menos assim. Dois ou três galalaus se apresentaram e, para impressionar as gazelinhas trêfegas, anunciaram que não iriam mudar de esquina. Azar deles, porque, percebendo o imbróglio, vieram se solidarizar comigo, quer dizer, com o José Cláudio, os robustos taxistas do ponto ali perto. Os valentões se foram, rabo entre as pernas.

Com o rosto vincado por uma dor que ele guarda só para si e que a poeira das ruas ressalta dramaticamente, José Cláudio digere, em silêncio, a nova saudação matinal para mim, o ex-craque da camisa 10, a qual deve dizer: "Bem-vindo ao clube".

Belle époque tropical

Portugal ingressou no século xx com uma vontade irrefreável de fazer o que a França tinha feito no século xviii: uma revolução que mexesse com o ranço autocrático do poder, uma sacudidela que quebrasse a inércia promíscua em que, enquanto o povo penava, a realeza, o clero e o arremedo caricato de nobiliarquia se regalavam. Tempos de rebeldia retardada e de insatisfação (quase) generalizada, capitalizada por um ideal republicano que àquela altura, predominante nas democracias europeias, acolchoava a sociedade nos alegres embalos da belle époque. O que dissipava a Europa, antes da conflagração terrível de 1914, desassossegava Portugal. O caldeirão fumegava.

A bem da verdade, havia dois países em contraste e, mesmo que Eça de Queirós tenha ido assentar o símbolo do frenesi urbano em Paris, *A cidade e as serras*, seu romance de 1901, expõe as angústias da dicotomia local, ainda que em nuances de ternura que destoam radicalmente da

34

produção anterior do romancista, pronto para rasgar com a pena da ironia as veias esclerosadas da ocidental nação lusitana.

O Eça de 1901 romantiza o éthos rústico dos fidalguetes indolentes e dos agregados lambe-botas; ele, Eça, que no entanto era um cosmopolita de longo curso, com estágio janota em Londres e em Paris, figurinha carimbada de uma Lisboa dos cafés intelectualizados, das revistas literárias e das polêmicas up-to-date.

Fermentava aí a insurreição tardia, e acabou que a explosão aconteceu, em consonância emblemática com a chegada da iluminação elétrica à capital e ao Porto. Após um ou outro putsch sufocado pelas armas, os republicanos foram direto ao assunto e assassinaram, em fevereiro de 1907, no Terreiro do Paço, em Lisboa, o rei d. Carlos i e seu filho mais velho, Luís Filipe, herdeiro do trono.

A monarquia reagiu aclamando de imediato d. Manuel ii, filho e irmão dos mortos. Mas os estilhaços políticos voaram além do atentado e, dois anos depois, em 3 de outubro de 1909, um levante na capital decreta o fim do regime e despacha o rei para o exílio em Londres.

É então que o script da Revolução Francesa de 1789 entra em cena, com a violência do atraso, visando os nobres de sangue e os hierarcas da batina. Uma tempestade de ressentimentos anticlericais varreu Portugal e, no pânico de igrejas queimadas e sacerdotes ameaçados, mesmo lá, o seminário de Viseu deve ter tremido em seus graníticos alicerces.

Meu avô tinha acabado de fazer vinte e um anos. Fora até então aprisionado naquelas masmorras de fé silenciosa e mortificada, poupado das turbulências mundanas. Pensou: hora de mudar de ares. Era padre secular — não tinha de se submeter às hierarquias de uma ordem religiosa. Era português. A rota histórica das calmarias apontava: Brasil. E assim se fez.

Por sua vez, o Brasil, quer dizer, o Rio de Janeiro regurgitava as trepidações urbanísticas do Bota-Abaixo, o projeto neorrepublicano do prefeito Pereira Passos empunhando a marreta do engenheiro Paulo de Frontin — uma barafunda de obras que moviam montanhas, as demolições e a poeira cobrando à capital da jovem República o preço de querer se sentir Paris.

Era a belle époque tropical, enfatiotada com polainas, sobrecasacas, leques, chapéus e vestidos que ocultavam os tornozelos e só com muita boa vontade deixavam ver a ponta dos borzeguins.

A República, refeita do bonapartismo de Floriano Peixoto, enfim curada das cicatrizes do sangrento encontro com o Brasil real chamado Canudos e resignada às consequências do coup de main sanitário do dr. Oswaldo Cruz, desanuviava-se nos cafés boêmios aspergidos de poesia e nos saraus literários com aroma de alfazema, e relaxava-se naquele eixo de cosmopolitismo à Barão Haussmann que era a recém-inaugurada avenida Central, depois avenida Rio Branco (Copacabana não passava de um areal distante).

"O Rio civiliza-se!", definiu, com direito a interjeição, um colunista da época.

Deve ter causado alguma impressão no padre Beirão a brisa cosmopolita que soprava sobre o Rio, ele que procedia de um Portugal rural e pastoril, só então sacolejado em sua secular letargia pela emergência da República. Mas não era a uma cidade-luz tropical e sedutora que o sacerdote se destinava. Mal deu tempo de sorver a atmosfera carioca. A bordo de uma maria-fumaça, ei-lo a caminho do interior de Minas.

O exílio sempre é, sabia ele, a escuridão do desconhecido. No caso dos missionários da fé, tantas vezes conformados a algum tipo de martírio, o exílio pode ser duplo: o exílio da terra e, em prol de uma causa superior, o exílio de si mesmo. Era o que meu avô, fatigado pela jornada e intimidado pelo desafio, já pressentia intimamente.

O amor tem pernas

O amor, se produz heróis, concebe-os trágicos, atormentados, debatendo-se em ondas de insensatez e de arrependimento. Assim sugerem as escritas literárias e as narrativas cinematográficas. O amor dói. Não tem muita graça o amor sem perdição e sem castigo — a não ser talvez para os próprios amantes.

O amor da vovó e do vovô já nos chegou — a mim, neto, ocorreu assim — com a mansidão do cotidiano, com a serenidade de uma história percorrida, eu só não diria um amor banal por conta do olhar feminino da vovó que faiscava à simples menção do nome do companheiro, até mesmo depois que vovô se foi.

Hoje pressuponho o fogaréu que deve ter crepitado naquelas duas almas ao encontro fortuito do proibido, e é fácil imaginar que o episódio sufocou-os em lágrimas de desespero como se, ali em Oliveira, interior de Minas, estivessem espocando as paixões asfixiantes de um romance de Tolstói ou de Eça de Queirós.

Aqui surge um herói de verdade, de pés no chão, na

solidez em carne e osso de um português de Lisboa desterrado de um país cuja maldição, como escreveu Miguel Torga, era a de não fazer caberem nele todos os seus filhos.

Por alguma razão que nunca haveremos de saber, meu bisavô materno, Francisco de Miranda — Francisco José, como o arquiduque da Áustria —, estabeleceu-se na província das Gerais. Àquela altura já trazia consigo, do Rio de Janeiro, uma considerável prole, uma florada de quatro meninas e o caçula homem, além do vazio deixado pela mulher morta no parto. Sei da passagem pelo Rio porque todas as meninas lá nasceram, inclusive vovó.

Esse Francisco abriu em Oliveira um hotel, provavelmente o único pouso digno do lugar, tanto que ousou, sem muito constrangimento, convencer a cidade a esquecer o Hotel Central do letreiro pelas honras nobres de ser chamado de Grande Hotel. Muitas décadas depois, quando pernoitamos lá, como já contei, ficou patente que de grande o hotel só tinha a pretensão pretérita.

Minha prima Maria Helena resgatou, no baú precioso de tia Neuza, um cartão do Hotel Central. Maltratado pelo tempo mas interessante em termos de marketing — embora meu bisavô jamais tenha conhecido essa palavra. Anunciava um requinte: "iluminado a luz electrica". Prometia "aposentos magníficos para familias, espaçosos e bem mobiliados, escrupuloso asseio e optimo serviço", além de "banhos de imersão, de chuveiros e quentes".

Início do século xx, e até parece que a gente está lendo sobre o Crillon de Paris. Lá fora, a realidade que acorria era outra. Oliveira era pouso para caixeiros-viajantes e ponto de entroncamento de tropas. O proprietário se referia a "cômodos para tropas" e, num sutil eufemismo, cômodos também "para camaradas". Ou seja, para a peãozada. Uma "sala de exposição de amostras" acudia os mascates.

Deu, na época, o Hotel Central para aninhar a robusta prole dos Miranda, tendo o bisavô Francisco a prestimosa ajuda de alguém que vovó sempre chamou de Dindinha. Cuidar da educação de tantas crianças não devia ser tarefa fácil para um viúvo precoce, mas suspeito que a chamada madrinha executasse outras habilidades, além das de mera governanta, ao pé do meu bisavô solitário.

Tinham os dois, sr. Francisco e a Dindinha, de zelar igualmente para que os viajantes de longa cabotagem não viessem a se lembrar da libido adormecida logo ali, diante daquele buquê de donzelas divertidas.

Ecos da voz da tia Ernestina, a mais desinibida, me dão conta de um ambiente festivo, já que as meninas sabiam ser prendadas de acordo com os antigos padrões, em especial no quesito musical. Revezavam-se no piano e nas cordas para saraus que deviam enlevar o auditório da cidade e os caixeiros-viajantes. Ah, e uma solerte aranha, sempre a mesma, que escorregava em sua teia até quase a altura do piano para desfrutar do recital. Tinham carinho por elas, as meninas Miranda.

Francisco e suas filhas estavam plenamente estabelecidos em Oliveira quando um certo padre Beirão foi dar ali, por volta de 1915. O pároco recém-chegado devia merecer a consideração do hoteleiro patrício e, dentro das normas restritas do decoro canônico, o sacerdote por lá aparecia, uma ou outra vez. O suficiente para ser tomado de incômodo desassossego pela garota do bandolim. E — ainda que ela tentasse disfarçar — vice-versa. O formigamento incontrolável teria arriscadas consequências.

Deve ser estranha a sensação de se enamorar de um rapaz permanentemente amortalhado por uma sotana negra, já que padres então, bem antes das alforrias conciliares, usavam batina aonde quer que fossem. Mas o desejo faz suas travessuras sem respeitar o pudor das fatiotas, o pecado se imiscuiu na forma de olhares furtivos, e assim nasceu o esquivo romance do padre e da moça.

Ernestina era a mais velha das meninas e, na sucessão de ee, seguiam-se a Elvira, a Esméria — que viria a ser minha avó — e, enfim, a Edith. Conheci a todas, e tenho delas a lembrança de uma gostosa tagarelice e de um humor incondicional. A casa reverberava alegria quando chegavam. Aliviavam o ambiente mesmo quando do rigor do luto. A exceção era a tia Edith, solteirona carrancuda, que quase sempre estava morando conosco. "Tem um gênio, a Edith!", reconhecia a própria irmã.

Tinha essa tia, a seu modo, talento para o teclado, que relutava porém em expor, mas a música produzia, sim, e só a música, o condão de suavizar os maus bofes dela. Acompanhei-a, mais de uma vez, às matinês operísticas do Teatro Francisco Nunes, uma estrutura modernista fincada no Parque Municipal de Belo Horizonte, onde o ranger impiedoso das velhas tábuas do palco fazia dueto involuntário com os tenores e as sopranos nas árias de *Il Trovatore* e de *La Traviata*.

Comparada às irmãs, vovó era coquete. Só vim a entender isso muito mais tarde. Ela usava invariavelmente meias de seda, que enrolava com caprichoso cuidado até abaixo dos joelhos. Seu guarda-roupa era simples mas estudado, mesmo depois de submetido ao protocolo da viuvez. Nas profundezas da naftalina, ela guardava um renard, e o focinho da raposa era tão real, que a primeira vez que vovó avançou para mim com ele passei a noite em sobressalto.

O primor da bem-comportada vaidade consistia no trato

de seus cabelos. Eram finos e estavam longe de ser fartos. Mas vovó fazia milagres com cerveja. Os restos que ficavam depositados nas garrafas, e que ela zelosamente recolhia, se transformavam com os dias numa resina grudenta graças à qual vovó tecia a arquitetura de um sorridente topete. O mesmo que ela já exibia, em vaidade precoce, na foto familiar da infância. Tinha suas veleidades de mulher, a Esméria. Deve ter sido por isso que o cupido a escolheu, na corbeille colorida dos Miranda, para a flechada fatal.

O vento não fala

O silêncio foi se instalar lá longe, na campanha gaúcha, distante o suficiente para semear o esquecimento. Viajando por comboios infinitos com pouco mais que uma valise e a roupa do corpo. Não vejo outra razão para fugirem, vovó e vovô, para tão remota paragem. Alegrete, perto da fronteira com a Argentina, não conheço, mas tive acesso a ela pela via deliciosamente inverossímil dos livros, ajaezada em sotaque e bombacha, na linguagem de valentias que não discriminava nacionalidade. O mundão do pastoreiro. Duelos de *cuchillos*. Caudilhos enfarruscados. Lenço de seda no pescoço. Um rodopio de chita. De vez em quando, um lamento de gaita. Brotoejas de ficção que talvez não tenham nada a ver com a realidade. Fiquei feliz no dia em que, debruçado em Simões Lopes, descobri o que era invernada.

O vento da campanha teria o dom de soprar até nós o enredo sigiloso do tabu? Se a história se perdeu no caminho — o atropelo intempestivo do minuano, que varre as pedras, fustiga os rancheiros e atordoa os loucos, não facultaria um disparate desses —, é porque eu não soube ouvi-la, ou não quis ouvi-la, nós não soubemos ouvi-la, ou não quisemos, ou então é porque não conseguimos decifrá-la. O vento sabe conduzir irrepreensivelmente os relatos, em transporte íntimo de segredos há tempo resguardados. Mas convinha ignorá-los — vento, tempo e história. Sempre fui mais de calar que de falar. Inconscientemente viramos em família passageiros do silêncio. Só muito mais tarde adquiri, no traquejo social, o prazer da conversa compartilhada. Também tinha isto: papai falava por todos nós. Ele, que ignorou o tabu, soterrou-o no andar de baixo de sua memória, decidiu que o verbo é a essência da vida.

Alegrete foi a penitência do desterro de meus avós, com o consolo de ter visto nascer a minha tia Neuza, deliciosa criatura, a primogênita dos Miranda Beirão. O seminário credenciara vovô com o mais clássico dos saberes, como já mencionei. E este foi oportunamente útil. O agora professor Beirão abriu um ginásio. As poucas referências que tenho da escola foram alusões meio relutantes da vovó e um rápido testemunho de Mario Quintana. Sim: Mario Quintana, o formidável poeta.

Quintana não cumpriu o espinhoso percurso da educação formal, mas os bancos escolares que frequentou, lá na sua Alegrete, foram os do ginásio do professor Beirão, a quem ofereceu um de seus poemas. O poeta tinha esta generosa mania: a de dedicar seus versos a algum conhecido. Vovó abriu-me um dia, num livro de bordas já esfarinhadas, o orgulho da dedicatória dirigida ao mestre. Desde então, tenho percorrido infatigavelmente as obras completas de Quintana, e nada da menção ao professor. Lembra uma daquelas intrigas borgianas de omissões enigmáticas entre uma edição e outra de alguma enciclopédia. Não fazia nenhum sentido, a geografia em que vovó e vovô se meteram. Essa geografia de confusos equinócios convertia o Rio Grande do Sul em antípoda da montanha, minhas montanhas, nossas montanhas, sentinelas de outros mitos que, ao contrário, calavam façanhas para alardear modéstia — com a maior imodéstia do mundo. Tínhamos, igualmente, em Minas nossos aedos, e ainda os temos, cavalgando palavras no lombo da fantasia — tropas e tropeiros escoando pela paisagem poética do papel, só que a serviço de um roteiro de redemoinhos malignos, de buritis retorcidos, de galopes cangaceiros e de sentimentos engolidos. A valentia do mineiro não existe enquanto não deflagra.

Mas foi a história que não ouvi que acabou por dar sentido à história que, antes calada, depois sussurrada, enfim testemunhada, busco agora concatenar, com uma urgência destemperada, liberando-me dos flashes fugidios do passado, da intoxicação de angústias intoleráveis, da bisbilhotice culpada da infância, do silêncio incutido aos beliscões, das novenas desesperadas em família.

A história que então não ouvi mas que combinava com os personagens de quem ela falava. Eu era criança e desconfiava. Era criança, sofria, porém não sofria do jeito como um dia entendi que meu pai sofria. Era criança e ignorava o quanto meu avô e minha avó tinham sofrido por uma história que nem o mais impertinente dos ventos, irrompendo de sul para norte em meu mapa afetivo, conseguiu me contar.

45

Escorpião no galpão

Na parte baixa da rua São Paulo, em Belo Horizonte, escorria um córrego que ia desaguar no ribeirão Arrudas, além do Mercado Municipal. A pestilência daquele arroio estava enganosamente contida entre duas paredes de tijolos e uma amurada de concreto — e vovó aplaudiria com ênfase essa palavra, "enganosamente". Porque, dependendo dos humores pluviométricos, o córrego extravasava do leito e vinha fazer, com seu entulho pernicioso, uma indesejável visita aos jardins do casario — inclusive ao nosso, de número 1238.

Lembro-me pelo menos de uma vez em que vovó se mostrou preocupada em obstruir com um arsenal de panos de chão o vão das portas da frente, já que a fétida maré ia subindo, subindo, e não tinha nada do charme da *acqua alta* de Veneza. Lembro-me de um desses dias, e não esqueço, porque era meu aniversário de dois anos, quem sabe três, e eu tive, naquela ocasião dramática, o que deve ter sido o primeiro contato efetivo com minha irremovível paranoia.

Tinham me dito: "O dia de hoje é só seu". O mundo passou a girar em torno de meu egozinho. Acreditei. E me senti responsável por tudo — até mesmo pela enchente.

A casa, de dois andares, tendo na fachada aquele enxaimel falso que se diz normando, devia ser ampla o suficiente, pois, em certo momento, abrigou vovó e vovô, minhas duas tias ainda solteiras, mamãe, papai e todo o altíssimo teor de fecundidade do casal. Nasci eu, depois o Paulo, depois a Ledinha. Não sei sinceramente como cabíamos todos ali. Havia risos e, desconfio, felicidade. A sala de jantar buscava alguma imponência em cadeiras pesadas, com o espaldar alto de couro escuro, e numa cristaleira que parecia secular. Às crianças era vedado o ambiente, reconhecíamos o nosso lugar. Na varanda, exígua mas simpática, posei, no colo de mamãe, para as fotos de meu primeiro Carnaval. Vestido de baiana. Com turbante, brinquinhos e ruge. Hoje, ao mostrar as fotos, sinto os interlocutores oscilarem entre o "então, está explicado!" e um "que maldade, pobrezinho". De minha parte, não percebo traumas.

Tia Neuza já tinha aquele que seria seu emprego da vida toda, invejável posto na Receita Federal. Tia Nessília adejava sob o peso de sua prancheta, de seus pincéis e tintas até o Parque Municipal, onde exercitava o seu dom para o figurativo. Orgulhava-se a escola de ter entre os professores um certo Guignard, já pintor renomado, de quem, nos ágapes lá de casa, comentava-se muito mais a apavorante feiura do que os méritos artísticos. Tia Nessília o defendia. Papai trabalhava com vovô na loja de louças, que ficava na própria rua São Paulo mas exigia uma escalada cotidiana de dois quarteirões de ladeira.

A lateral de nosso sobrado se comunicava com uma

vila, de quatro ou cinco casas enfileiradas a cada lado. Era um bom refúgio, a salvo do tráfego. Gostei de brincar ali até o dia em que um vizinho de nome Marcos — como esquecer? — arrancou do coldre o revólver cromado que eu ganhara no Natal e o mergulhou numa mixórdia de lama. Fui lá, recuperei o brinquedo e golpeei o crânio do garoto com a coronha da arma.

Um pouco mais adiante, em direção ao Centro mas na mesma quadra, uma espécie de portal afunilava a entrada sombria de outra vila, esta com o aspecto de cortiço de novela étnica da tv Globo. Dona Carmen, uma das moradoras, seria ótima figurante para essas novelas, frágil e esquálida criatura cujo luto fechado só admitia exceção para uma mantilha à moda sevilhana — que ela usava, acho eu, fosse inverno ou verão.

Dona Carmen descendia de espanhóis, ou então, o que é mais provável, seu falecido marido é que escapara daquele território empapado de sangue pela guerra entre irmãos. Minha avó sentia carinho especial por ela, abastecida a simpatia por um detalhe injurioso: dona Carmen tinha um filho oficial da Aeronáutica incapaz de se condoer vendo a mãe à míngua. Sumiu no mundo e nem mais uma palavra para aquela que o parira.

Afeto é que não nos faltou, assim como histórias a nunca serem olvidadas. Cresci sob a loquacidade de minha avó e a autoridade de meu avô. Na casa da rua São Paulo, o território a explorar era livre, com exceção do pequeno galpão nos fundos, onde se armazenava a lenha para o fogão. A madeira servia de esconderijo ideal para os escorpiões.

Por algum tempo vovô também botou em quarentena a varanda da frente, depois que um maltrapilho por lá se achegou e passou a socar o vidro da porta principal exigindo dinheiro e comida. Vovó trancafiou a entrada enquanto nos pedia silêncio. O mendigo levou um tempo para desistir. Vovó logo tratou de providenciar um antídoto para seu permanente fantasma: a tuberculose. Lançou mão de um balde de água fervente e foi desinfetar os cantos da varanda. "Ele pode ter escarrado aqui", dizia. Minha avó era dona de um português castiço, rico em vocabulário, mas, aqui para nós, "escarrar" era demais, soou aos ouvidos infantis com a força de uma praga bíblica. Vovó e vovô moraram por quase trinta anos no casarão, que seja, normando. Então decidiram fazer uma longa viagem a Portugal. Vovô sabia de sua doença atroz, que lhe corroía o estômago, do qual tinha sido operado com sucesso décadas antes, e foi abraçar pela derradeira vez os irmãos, todos vivos, sobrinhos, e os agregados da parentada. Antes de embarcar, alugaram um apartamento ao lado do Cine Palladium — onde eu começava a me interessar pelas artes superiores do cinematógrafo. Mas houve alguém no casarão que não se resignou de modo algum à anunciada partida dos inquilinos: o abacateiro, de robusta musculatura, que, por estranhos desígnios da genética vegetal, recusou-se a gerar frutos pelas três décadas em que meu avô e minha avó conviveram à sua sombra.

O bichão ficou lá, no exíguo quintal, defendendo férrea virgindade, até que a doença de meu avô e o adeus à sua pátria decretaram que eles se mudariam dali. De repente, o abacateiro desandou. De seus galhos começou a chover uma tempestade de frutas, e vovó, maravilhada com o milagre, catava-os no chão, um a um, arriscando-se a ser atingida pelos verdes projéteis.

"Abacateiro é muito sensível", pontificavam as vizinhas, dona Carmen na dianteira, com aquela certeza em que o bom senso se agasalha na superstição. "Está sofrendo com a partida de vocês."

Quem sabe — não hei de ser eu a contestar, logo agora —, chorava, sim, na abundância de sua prole inesperada, o esquisito abacateiro, mas as consequências de tão vegetal manifestação de afeto quem haveria de sofrer seríamos nós, pequenas criaturas do reino animal, o Paulo, a Ledinha e eu, condenados a monumental diarreia após uma inadvertida visita a vovó.

Os três devem ter sentido, eu senti, a faísca no olhar da vovó tão logo entramos em sua casa. Afinal, ela podia dar ali uma destinação familiar aos pomos de ouro com que o abacateiro sentimental demonstrava ao casal Beirão o apreço pela longa convivência. Suco de abacate. Sopa de abacate. Torta recheada de abacate. Abacate com leite. Sei lá quantas variações seriam aceitáveis na contrapartida que minha avó oferecia ao melindroso.

A noite presenciou, já em nossa casa, um espetáculo escatológico de vômitos que nos revirava o estômago e de raiva que nos azedava a alma. "A vovó insistiu", eu chorava — e lá jorrava, sem controle, mais um jato de esmeralda consistência. Nunca mais pude sequer botar o olhar naquele fruto do diabo.

Um brinde no seminário

Alguém me pegou no aeroporto de Lisboa numa daquelas manhãs de primavera inundadas de preguiça e de bem-aventurança. Não tive a gratidão de lhe guardar o nome — nem mesmo o rosto. Era segunda ou terceira semana de maio, e o automóvel deslizava pela autoestrada em destempero de máquina apressada. Acomodado no banco de trás, eu me alternava entre a amabilidade do chofer, pautado por um protocolo de hospitalidade digno de fidalgo de Camilo Castelo Branco, e uma sonolência solitária, invencível, fatalidade decorrente da longa travessia ultramarina, agravada pelo oficial insolente que, na Imigração, implicou com o sobrenome Beirão ("Tu vives cá, ora pois!").

Abri a janela do carro para que o vento me despertasse. "Não leva três horas", tranquilizou-me o anfitrião.

As estradas de Portugal percorrem uma estranheza. País tão exíguo no mapa, era para ser, pensava eu, repertório geográfico reto, resoluto, contudo as estradas teimam em burlar a melancolia da paisagem; elas sacolejam no sobe e desce de muitas ladeiras, prorrompem em curvas, enlaçam-se em precipícios, é como se escavassem abismos pela vertigem da aventura. Dormitei pensando isso. Na hora do almoço, como prometera, o simpático gajo me despejava diante do hotel de Viseu, embandeirado para a ocasião especial. Tinha uma bandeira verde-amarela. Soube depois que era para mim.

Os portugueses dissimulam, na arte de receber os outros, a certeza de sua própria superioridade, e, sendo assim, o melhor é desfrutá-la como quem saboreia um pastel de Belém. A Graça apareceu-me, bem a propósito. Ia me conduzir ao Museu Grão Vasco, onde a cerimônia aconteceria. O protocolo nobiliárquico de uma confraria de vinho requer chapéu, capa, escanção e sobriedade, bem como, vencida a etapa da entronização, diploma e tapinha nas costas, um a um, nominalmente, merecendo o único estrangeiro presente — o da bandeira verde-amarela — a distinção de vir logo após o Sr. Chanceler da República e o ministro da Agricultura. Seguiu a comitiva pelos paralelepípedos da Viseu Velha, precedida pela solenidade magnífica de cavalos de cascos sonoros, patas robustas e completo despudor intestinal.

O destino foi o antigo seminário, um monumento caiado, de tal sisudez que chega a ser esplendoroso e com paredes tão espessas como as que conviriam a um presídio. Pensei: "Talvez fosse". Muros intransponíveis às vis tentações mundanas. O confinamento numa fortaleza daquelas devia, lá em seu passado monástico, ensejar aos noviços a convicção de que o serviço do Senhor é uma eterna penitência. Se alguma dúvida houvesse, o banho gelado tão logo se anunciasse a aurora teria o pendor para penalizar o corpo, em cumprimento ao dever de disciplinar a alma.

Não havia como não me emocionar: ali penara meu avô. Aquele fim de tarde no seminário de Viseu prenunciava prazer, não lembrava sofrimento. As mesas redondas de seis lugares mostravam uma compostura clássica que a iluminação a velas ressaltava elegantemente. Para mim, o efeito foi instantaneamente entorpecedor. O burburinho das conversas bruxuleava em meus ouvidos em sintonia com as reverberações intermitentes dos castiçais, e teve um momento em que, subjugado pelo jet lag e pelo espumante que precedeu à ceia, eu já não sabia o que era dormência, o que era realidade.

Num caso e no outro, a imagem do vovô Beirão assomava, confundindo-se, em mistério de metempsicose, com a dos ilustres cavalheiros, de carne e osso, que me faziam companhia à mesa, um dos quais vinha a ser o ministro dos Negócios Estrangeiros, figura intragável mas, ainda assim, ou por isso mesmo, fadada a desempenhar papel relevante no seio da Comunidade Europeia. Não trocamos mais que duas ou três palavras de mera formalidade. O jantar foi magnífico e o vinho, é claro, correspondeu à responsabilidade de ser o protagonista da festa.

Se sou hoje membro da Confraria Báquica do Vinho do Dão, se estou aqui hoje contando esta história, devo isso à confluência de tantos acasos — teias de um destino que arrancaria da clausura daquele maciço monastério de Viseu a ovelha a ser desgarrada do rebanho.

De volta a Beira Alta

Uma fotografia clássica de família captura a aptidão patriarcal de meu avô e as piscadelas que a ele dedicava minha avó. Os dois estão sentados, de mãos cerradas, no centro do sofá da sala de visitas lá de casa, no bairro da Serra, em Belo Horizonte — sala que, sempre fechada a sete chaves, entrincheirada no privilégio de ocasiões muito especiais, como suponho ter sido aquela, era um permanente desafio à bisbilhotice infantil.

Vejo hoje um bar de madeira e banquetas, com bebidas decorativas, licores amarelados, destilados de anis que iam envelhecendo a salvo, felizmente, do paladar humano. E havia um interessante espelho de cristal, cingido por pingentes, e com certeza um quadro, do qual nada me lembro.

Em torno de meus avós estão papai, mamãe (carregando a recém-nascida Fátima, claramente irritada com a situação), o tio Joaquim, a tia Neuza (com o Carlos Antônio no colo), o tio Quincas, a tia Nessília (com a Luzia no colo) e, esparramados por ali, os outros netos, José

Antônio, Nélson, Ledinha, Paulo e eu. Ou seja, a primeira fornada dos netos. Deve ter sido logo depois da volta do vovô e da vovó de sua jornada de seis meses por Portugal.

A foto lá em casa é de fim de 1956, arrisco, talvez tenha a ver com o Natal daquele ano e com a farta distribuição de regalos trazidos por via marítima junto com a bagagem pessoal dos meus avós. O vapor — assim vovó chamava o imponente transatlântico de nome *Vera Cruz* — não impunha limites aos volumes, razão por que o desembarque do casal no cais da praça Mauá, no Rio, se tornou um calculado estorvo, tantos baús vieram a bordo.

Garrafões de vinho, frascos e frascos de azeite, uma batelada de souvenirs amealhados ao longo do caminho, à qual não faltaram, naturalmente, os lendários galos de Barcelos, de diferentes estaturas. Do meio da barafunda, vovó puxaria a camisa de jérsei branca e o par de meias três-quartos que envergo na foto, com os olhos cintilantes por tão elegante figurino. Foi, graças à vovó, meu primeiro momento fashion.

A pulsão loquaz da vovó foi contemplada, na época, com a prerrogativa de se alongar, junto a nós e às visitas, em detalhadas descrições da viagem: a peregrinação ao santuário de Fátima — que tão pungente e sofrida deve ter sido, dá para adivinhar —, os clássicos passeios turísticos, o desconforto do inverno que já se prenunciava naquele norte pedregoso do país — os lençóis eram passados a ferro logo antes de serem estendidos nas camas ou previamente aquecidos com pedras postas no fogo, de forma a aliviar os arrepios dos hóspedes.

Uma porção de cartões-postais, que ela exibia um a um, com a mesma expertise com que manuseava seus santinhos e suas novenas, ia ilustrando as etapas do percurso. A mim, com o propósito maroto de assustar uma criança facilmente assustável, vovó reservou a foto daquela capela de Évora cujo portal, simulando frações de um esqueleto, convoca: "Nós ossos que aqui estamos pelos vossos esperamos". In loco — percebi décadas depois —, fica até delicado o apelo.

A um evento da excursão vovó dedicava a devida solenidade de uma narrativa para poucos. Tratava-se da visita a um colega de seminário do vovô. O nome dele era António de Oliveira Salazar, e, embora exercesse a função vitalícia de presidente do Conselho de Ministros desde o início dos anos 1930, com direito aos equipamentos gongóricos do poder absoluto, o dr. António decidiu oferecer ao Tuninho a acolhida frugal de sua morada civil, adormecida numa colina de Santa Comba Dão, a descortinar o rio que dá sobrenome à cidade.

Vovó transformou tal intimidade num manifesto político. Que ditador seria aquele, abrigado em lar familiar de extrema modéstia? Um senhor de hábitos morigerados, celibatário, sem luxos, sem vaidade, recolhido ao carinho de suas três irmãs, igualmente solteiras? Em obediência aos preceitos da casa, vovó foi naturalmente mantida à margem da conversa dos antigos colegas, tendo de se contentar por algumas horas com a companhia das solteironas, lá no serralho.

A flor do encantamento desabrochou de vez, para vovó, quando o ancião de quem os adversários diziam horrores deixou por um instante o terraço onde intercambiava com o ex-colega as memórias do passado e as perspectivas do presente para ir buscar, no armário, duas mantas de lã. A tarde caía e a friagem das alturas se prenunciava. Cavalheirescamente, o anfitrião estendeu, ele mesmo, a manta sobre o colo de meu avô, antes de se servir da sua.

Minha avó jamais esqueceria a cena. Para ela, política se resumia a *beaux gestes*. Desgraçadamente, eu nunca soube o que meu avô pensava da ação política do ex-seminarista de Viseu. Um estudioso da colônia portuguesa em Minas considera vovô um democrata, um homem mais à esquerda do que à direita, pois era o que faziam supor seus frequentes discursos.

Se assim era, trata-se de outro desaforo da parte dele. Os portugueses desterrados, em sua maioria, isentavam o regime de exceção da responsabilidade pela penúria econômica que, por ironia, os obrigara à expatriação. Para eles, o salazarismo se restringia à maravilha da "lei e ordem" ante a balbúrdia das contendas democráticas. À distância, só à distância, o salazarismo ficava suportável.

A cidade do sonho

O sono entrecortado não impede o devaneio do sonho recorrente. Ando aceleradamente pela cidade e a fluência da caminhada me surpreende, na realidade amiga dentro do sonho impaciente. Conclusão: já tenho gravada, no abismo do inconsciente, a memória ainda fresca do meu drama.

Ao despertar, a memória me repõe as surpresas estilhaçadas. Vejo um enfileirar de casas geminadas, de dois andares e balcões, pilares modestamente trabalhados, sem grades, em estilo que não chega a ser vitoriano, lembrando talvez aquelas fachadas de uma Dublin menos pretensiosa. Paisagem de frontais brancos, como se recém-restaurados.

Há uma clara decência na arquitetura exposta pelo casario imaginário — e me desculpem se uso um conceito moral numa matéria em que a moralidade nem sempre é bem-vinda. Explico, antes que meus amigos arquitetos me apedrejem: a arquitetura muitas vezes se perde no despudor da autocontemplação. Mas consolem-se, pois a escrita também sofre desse mal.

Na introdução a um livro seu sobre o México, o satirista Evelyn Waugh — escritor que mereceria as honras de um reconhecimento unânime — diz que escrever sobre um país depois de nele permanecer por dois meses é convidar à "imputação de presunção". Mas assim são os escritores, mais ainda os jornalistas.

O país que visito aqui também me é novo e desconhecido. Assim como aconteceu com Evelyn Waugh no México, eu só hei de saber me conduzir, através desse vasto território da doença, pela intoxicação do sentimento. Que as surpresas trazidas pelo cotidiano sejam bem-vindas, mesmo quando dolorosas.

Tento ressuscitar a cidade do sonho. Tem familiaridade talvez com cenários de bairros paulistanos que eu costumava percorrer, em caminhadas quilométricas de fim de semana: o Brás, a Mooca, Vila Carrão, Tatuapé — retalhos com os quais pretendia remontar a verdadeira fisionomia de uma metrópole que fora perdendo sua graça. Lentas maratonas pedestres em que eu acreditava buscar, no presente, a alma encantada do passado.

É mulher

Quando Júlia completou quarenta anos, não faz muito tempo, foi impossível não deixar cair um par de lágrimas na lembrança daquele distante dia, em 1978, em que, no berçário envidraçado do Einstein, a enfermeira anunciou, com gesto que descrevia as curvas de um violão, o nascimento de uma menina. Minha sogra estava por perto e assistiu ao meu choro de pai novato.

Acho que queria uma filha, mas todo mundo me diz que digo isso porque foi uma filha que veio.

Já havia na época o ultrassom, porém ele não identificava o sexo do feto. Era uma surpresa sempre festejada — fosse o resultado qual fosse.

Poucos dias antes do nascimento da Júlia, acompanhei na Maternidade São Paulo, que hoje é uma ruína fantasmagórica bem no miolo da avenida Paulista, em alegoria funesta para um lugar que tanto deu de nascer, a chegada ao mundo do Paulinho, filho do meu amigo Humberto Werneck. Humberto se distraiu um pouco e, de repente, vi cair, no painel numerado de acordo com o quarto, o sinal azul. Saí correndo para anunciar. Chorei nos braços do pai (o Paulinho com toda a razão não aguenta mais que eu lhe recorde essa história).

Existe um consenso entre os médicos de que o nascimento é momento mais traumático do que a morte. Faz sentido: não há como não estranhar que a criaturinha que passou tantas semanas no invólucro protetor do útero materno, que ali se alimentou, que ali cresceu, se assuste com a dolorida aventura do parto e com o choque de realidade que a acolhe.

Por mais que a tecnologia alivie os riscos inerentes à maternidade, ainda que tenham ficado para trás as sinistras estatísticas de mortalidade infantil que não poupavam ninguém, nascer continua sendo mais complicado que morrer. Morrer é via de mão única.

O fato de ter convivido com uma filha e participado de sua educação me capacitou a entender como é muito mais rico, colorido, enigmático o universo feminino. A Júlia funcionou como um *Bildungsroman* funciona para os escritores de verdade: a melhor reflexão sobre o intervalo impreciso que separa os dois extremos da trajetória humana.

O sentido da paternidade demora a te contaminar. Quando te engolfa, é uma Fórmula Indy de medos, insegurança, amor, raiva, dúvida, erros, acertos, arrependimento, certezas frágeis, decisões vulneráveis. O único sentimento que a paternidade não faculta é a indiferença.

No meu caso, houve uma agravante chamada Nova York. Eu me esfalfava todo numa publicação semanal produzida por meia dúzia de gladiadores porque eu alimentava o sonho, convertido em promessa, de seguir para um posto no exterior tão logo a revista se consolidasse. O *playwright* do destino foi cruel: quando o correspondente em Manhattan se afastou, a Júlia era recém-nascida e a Rachel e eu estávamos nos separando. O súbito dilema se bifurcava entre a decisão de desistir, e passar o resto da vida me chicoteando pela covardia, e a coragem de ir, e amargar a culpa de abandonar a filha novinha. O dilema me custou dez quilos, o que confirma a presunção de que, para perder peso, rompimentos amorosos são muito mais eficazes do que a dieta da proteína.

O aniversário de um ano da Júlia, de cuja festa minha mãe se encarregou com um afeto que se arrastaria pela vida, eu passei humilhado pelas calçadas escorregadias de gelo e pela arrogância das brokers que tentavam empurrar para o imigrante recém-chegado apartamentos inabitáveis. Sobre um deles, encharcado de mijo de gato e com um aluguel muito acima do mercado, tive de ouvir a singela justificativa: *"But you have Al Pacino in the neighborhood"*. O *overprice* devido a Al Pacino estava em uns quinhentos dólares, na época.

É diferente quando você convive com filhos que não são seus, de sangue, e que têm um pai dedicado ao alcance da mão. De cara, foi didática, comovedoramente didática, a reação da Maria quando se inteirou da invasão que se prenunciava: a Júlia e eu iríamos desembarcar naquela encantadora casa da rua Bryaxis. Maria é a caçula da Marta Goes, com quem me casei em 1982. Marta é mãe também do Antônio, que tem a idade da Júlia. Aos quatro anos, Maria já conhecia o sentido da expressão "rodar a baiana". Alocados Antônio, Maria e Júlia no quarto maior, imaginamos dirimir as iniquidades e os atritos com um feng shui que lembrava a história dos três ursos: cama igual, escrivaninha igual, espaço igual. A ilusão pacificadora não durou quinze minutos.

Com a Marta e os filhos dela tive a família que nem sempre percebi que tinha. Com a Júlia pude ser o pai que eu nem desconfiava que poderia ser. Se você quiser, você aprende. Por exemplo, a não entrar no mesmo diapasão das provocações adolescentes, às vezes tão bobinhas mas sempre constitutivas de uma personalidade. Revidei, certa noite, numa inocente porta de vidro, no apartamento perto do Aeroporto de Congonhas, onde a Júlia foi se esconder numa festa gótica de velas e sussurros. Estilhacei o vidro. A Júlia estava em tratamento e a terapeuta aconselhou que ela ficasse em casa. De repente, o silêncio que vinha do seu quarto, geralmente atordoado em rock'n'roll, nos alertou. Para não deixar dúvida sobre a natureza da fuga, ela pulou do segundo andar para o quintal de nosso vizinho, professor Singer, a bordo de uma daquelas "teresas" de presídio. Hoje posso até achar corajoso o que a Júlia fez. Na hora, foi só desespero. No dia seguinte recebi um telefonema e paguei sem ressentimento o vidro quebrado.

Ser pai é também, no calor da ação, esquecer todo e qualquer dogma. Meus séculos e séculos de psicanálise me recomendavam desprezar os elixires da farmacopeia, e cheguei a ridicularizar, em artigo, "as pílulas da felicidade". Foi a Júlia ser medicada com Prozac para eu me convencer de que se trata da melhor descoberta da humanidade desde a tabela periódica.

Júlia fez *college* nos Estados Unidos, imune a invernos de vinte graus negativos. Tentou se aclimatar num Brasil que a irritou compreensivelmente, e hoje mora em Los Angeles. É uma gringa com espasmos de afetividade brasileira. Aquela afetividade que quase não subsiste mais entre nós, intoxicados que estamos pela intolerância política e pelo apartheid social.

Eu aspirava, por acomodação e temperamento, atravessar relações tão delicadas — a paternidade, o casamento — como quem as costurasse em seda. Às vezes, seda rasga. É preciso costurar de novo.

Futuro do pretérito

Aconteceu por acaso. Meu pai se incomodou ao me ver passar as tardes aos cochilos, babando no travesseiro mas dissimulando minha sonolência com a artimanha de manter à frente dos olhos titubeantes um livro cabeludo de filosofia grega. Tentei argumentar que acordava cedo para ir à faculdade, o que era verdade apenas relativa, uma vez que a escola era bem mequetrefe, só conseguia ministrar duas aulas diárias, e às dez da manhã, livres, desimpedidos, já adquiríamos o legítimo direito de consertar o mundo diante de uma garrafa de Antarctica — não sem antes empapar, com um saco d'água arremessado do alto do prédio, o folclórico professor Bandeira de Mello.

Sem se deixar enganar, papai me encaminhou para um amigo dele que trabalhava na sucursal mineira da *Última Hora*.

— Jornalismo é um bom bico — me disse. — Não vai atrapalhar sua carreira de advogado.

Fui lá e o diretor de redação, depois de tecer elogios ao meu pai, ordenou:

— Claro, pula pra cá e começa já.

Levei um susto.

— Olha, hoje não posso — desconversei. — Mas chego cedo amanhã.

À noite, papai festejou a notícia. Minha avó também:

— Amanhã, 13, é dia de Santo Antônio. Vai te dar sorte.

Agarrou-se ela a veemente sinal da cruz e uma prece murmurada, e eu, ainda que cético blindado, resolvi acreditar no piedoso presságio.

Não sei se por sorte ou por azar, eu me encantei com o ofício jornalístico e o tal "bico" dura meio século. Treze de junho de 1967 — assim comecei. Livrei-me dos cartapácios de direito civil e de mestres empavonados que enrolavam a língua, de seu púlpito emérito, como se estivessem discursando para o Senado romano. Quando assisto hoje, por dever de ofício, às sessões dos tribunais superiores ou quando leio as promulgações dos juízes de primeira instância, sou transportado, de imediato, com constrangida resignação, para aquele medieval cenáculo da egrégia Casa de Afonso Pena.

O jornalismo me seduziu pela mais frívola das razões: a vaidade. Você é um fedelho imberbe e, de repente, pega o telefone e manda chamar o presidente da Associação Comercial. (Que, no caso, eventualmente era o meu próprio pai.) Você assiste aos treinos de seu time de futebol e fica íntimo de seus ídolos. Desfila sua empáfia juvenil pelos gabinetes do poder. Exerce a mais extraordinária faculdade que o jornalismo lhe confere: incomodar as pessoas. E olha que eu era até tímido nesse quesito.

O ofício de aporrinhar o mundo exige uma convicção que eu raramente tinha. É o império de uma supremacia: sou mais importante do que você, seu cretino. Décadas mais tarde, como editor de uma revista que prima pela arrogância, liguei de madrugada para o ministro da Aeronáutica e o tirei da cama porque o diretor de redação queria saber qual é a verdadeira cor do rastro deixado pelos aviões da Esquadrilha da Fumaça. O mais interessante foi que o excelentíssimo ministro respondeu.

Tinha outros atrativos, o jornalismo. O folclore da boemia, a impunidade da bebedeira, as conversas sem pé nem cabeça, as paixões políticas que, se membro do Judiciário eu fosse, teria de escamotear, a menos que exercesse meu ofício na jurisdição de Curitiba ou no Supremo Tribunal. Houve períodos em que eu tinha uma crise por ano, tentava escapar para outro atalho. A Academia me atraía. A ilusão de escarafunchar um conhecimento em sua complexidade, manusear compêndios pesadões, desfrutar da pasmaceira intelectualmente estimulante do campus. O jornalismo não sabe mergulhar. Os franceses definem: *"la superficialité profonde"*. Mas fui ficando. Experiências frustrantes porém também momentos de alegria. Nunca me senti um desses aguerridos cruzados da informação, galopando num corcel de intrepidez investigativa; sempre preferi fazer as pessoas se divertirem com o que escrevo ou falo.

A profissão sofreu cambalhotas, reviravoltas, sobressaltos, há quem preveja o seu fim iminente. As plataformas é que mudaram, a paciência do receptor encolheu, mas a informação correta, decente, honesta continua tendo seu valor, mesmo na barafunda da web. Não é exatamente o que se vê por aí, neste cenário de soberba intolerância, todavia eu ainda preciso acreditar na minha verdade — pelo menos nela. Não sou boa pessoa, mas meu momento dispensa toda e qualquer mentira, toda e qualquer ambiguidade.

* * *

E assim, sob a guarda efetiva de um santo que promove uniões, Santo Antônio, o de Lisboa, tenho vivido com o jornalismo um casamento de meio século sujeito às fricções e aos deleites naturais de tão longeva relação. O acaso me fez sentar diante da Olivetti de uma redação em BH e o acaso me conduziu ao longo da areia movediça de uma profissão incerta. Exagero, tenho de confessar: não estaria a bordo dela se não houvesse tido a ilusão do aconchego, momentos de enorme satisfação e camaradagens verdadeiras que perduram até hoje. Eu alimentava um disciplinado pudor de colher inimigos no ofício, mas alguns colegas, talvez um ou dois, não tiveram a mesma cerimônia comigo.

Talvez tivesse desistido, não fosse o *Jornal da Tarde* me convidar para trabalhar lá com salário dez vezes maior do que aquele que me pagavam em Minas. Dez vezes de qualquer coisa, mesmo pouca, é muito. Imergi no frescor criativo, febrilmente erudito e nem por isso menos carnavalesco do melhor vespertino já publicado no Brasil.

O JT, criado pelo Mino Carta, era o crachá de uma distinção notável e de diversão garantida. E eu era uma criança. Recordo o maestro Diogo Pacheco, colaborador do caderno de Variedades, abrindo a porta única com arfar de diva, de volta do Municipal, ainda de casaca, e sendo recepcionado por uma redação esfuziantemente gay com um debochado coro homofóbico. Outros tempos. Ninguém se sonegava o direito à mais escancarada gargalhada, a não ser talvez o Ubirassu, poeta do agreste.

O sutil editor granjeava haicais apaixonados sob o pseudônimo de Satã enquanto os repórteres do Esporte discutiam o jogo e os trotskistas tramavam a insurreição geral. Aderi a eles, os "trotskos". Não era segredo para ninguém quem era quem no espectro político. No espectro carnal, todos, sem exceção, éramos fascinados pela Cláudia, depois monja Coen. Inclusive as meninas, desconfio.

Eu só não conseguia me confraternizar — defeito que ainda me persegue — com a editoria de Economia, constituída por pedantes de cachimbo e suspensórios que administravam, e continuam a administrar, as falácias da conjuntura. Tinha-os também em conta de queridinhos do patrão, pela frequência com que eram convocados à sala da diretoria. Saíam de lá rindo alto, muito alto.

Ouvimos pelo rádio a proclamação do AI-5. Os alto-falantes ficavam incrustados nos pilares da redação, e em geral nos brindavam com peças barrocas e românticas do repertório clássico da Rádio Eldorado. Na noite de 13 de dezembro de 1968 entrou no ar, em cadeia nacional, a voz pétrea do locutor oficial para anunciar o lúgubre evento. A redação se aglomerou em torno dos pilares, respiração suspensa. A censura prévia estava decretada e iríamos receber, naquele mesmo fechamento, o censor e sua caneta. Quando ele chegou, tomamos o caminho da rua, em protesto coletivo. Espalhamo-nos entre o Bar Estadão, o do antológico sanduíche de pernil, e o botequim defronte, cujo nome não lembro bem. Mutamba, pode ser?

Não estávamos nem com fome nem com sede, porém o enxame ainda assim foi mais que suficiente para embaralhar a cabeça do garçom, que se notabilizava por nunca acertar nenhum pedido, nem mesmo em dias de remanso. Ele implorou uma explicação: "Mas o que é que está acontecendo?". Ninguém ousou responder.

Voltamos à redação meia hora depois, para fechar a

edição do dia seguinte. Era um gesto apenas simbólico, mas fomos dormir reconfortados no leito da obrigação democrática. Daí em diante, transitei por toda publicação que se possa imaginar. Ajudei a fundar umas, consegui fechar outras. Em algumas fui feliz, em poucas me deixei estressar. Trajetória tão esticada sugere ou que você passou a acreditar na relevância de uma missão quase sacrossanta ou que, ao contrário, se acomodou no nicho crítico de certa indiferença.

Um furacão, desses que mereceriam receber nome de mulher, sacudiu o ofício e no meio do caminho deixou uma trilha de ossadas de publicações nostálgicas. Foram-se a *Última Hora*, o *Jornal da Tarde*, *O Jornal*, o *Jornal da República*, a *Senhor*, a *Bravo!*, a *República*, a *Wish Report* — para citar só aquelas das quais tomei parte. Culpar as intempéries externas não exime a eventual incompetência, o pecado do triunfalismo, a impermeabilidade ao novo.

Pinups na cabeceira

Uma das coisas que o jornalismo me ensinou foi a tapeação de suas hierarquias. As seções engravatadas são as menos lidas. O leitor tem toda a razão em ignorar o trombetear enfatuado de um editorial que pretende endireitar o mundo e repreender a humanidade. Adoro o jornalismo tido como desimportante, o jornalismo pop, das franjas, da periferia, que é de fato o que retrata nossa época. Um jornalismo que não amordace o sentimento de quem o faz. Até coluna social eu escrevi, em canseira de dia e noite, de terno e às vezes de black tie. Emprestado, sempre.

Quando comecei a coluna, me indagavam:

— Mas por quê? Logo você, um repórter tão sério...

Tive de recorrer, com tró-ló-ló meio maroto, à minha formação na Antropologia, sob a égide do professor Gilberto Velho, de ótima memória.

— É como observar uma tribo, como eles comem, como falam, como se comportam, como fazem sexo.

Ao fim de uns três anos, eu estaria convencido de que os uaimiri-atroaris e os ianomâmis se encontram em estágio civilizatório muito superior ao da tribo dos Jardins e do Country Club.

Repudio o jornalismo de fardão e as premiações bajuladoras, que também me ignoraram vingativamente, ainda que tenha sido considerado algumas vezes apto a compor os júris que as distinguiam. Júri bom foi outro, o do Miss Brasil, pois eu sabia que os dezesseis segundos em que a câmera viesse a me atravessar apressadamente seriam suficientes para fazer prorromper em delirante aplauso minha mãe e minhas tias, fanáticas por aquela passarela. Estive em *Veja* e na *IstoÉ*, mas é a *Playboy* que gosto de revisitar. Tive três encarnações na revista do Mr. Pijama, Hugh Hefner. A melhor coisa de trabalhar em *Playboy*, eu disse certa vez, era conviver com a fantasia safada que os amigos tinham sobre como era trabalhar em *Playboy*. Imaginavam eles uma redação que dispusesse de sofás aveludados como os de um bordel de Toulouse-Lautrec, quem sabe com direito a massagem corporal tailandesa. Que ali travávamos — como dizer? — contato com as candidatas ao estrelato, dispostas a exibir de imediato, sem o menor constrangimento, as suas credenciais para o *centerfold*. Messalinas lambuzadas de óleo ansiosas por saciar os desejos carnais, como aquelas devassas das novelas bíblicas da Record.

Sinto decepcionar — mas não era essa a realidade dos fatos.

Minha compulsão à irrelevância me afastava da cansativa perseguição ao furo de reportagem, que o Ricardo Kotscho, por exemplo, sabe exercer com distinção. Precisei de cinco décadas para catalogar um furo de padrão, digamos assim, clássico e um furo meramente folclórico mas que retrata bem o Brasil.

Anunciei, na minha coluna do *Estadão*, que o presidente Collor, assombrado pelo fantasma do impeachment, iria renunciar. Jornalista tem de ter sorte, e foi ela que me levou à trilha que acabou, de fato, ainda que desmentida pelo governo, acontecendo, em dezembro de 1992.

O furo que chamo de folclórico aconteceu também por obra do aleatório. Eu estava em Brasília no dia em que o homem pisou na Lua. A embaixada norte-americana preparou um coquetel para convidados, e ali assistimos, uisquinho na mão, ao evento planetário.

Saí de lá conduzido pela curiosidade pessoal e imbuído do dever profissional: o que é que o presidente da República, quero dizer, o nosso, teria a dizer sobre a conquista? Tive de recorrer a sucessivos telefonemas, naquela era pré-celular, mobilizando do porta-voz da Presidência ao ajudante de ordens, para enfim descobrir a verdade. Enquanto Neil Armstrong deixava sua pegada na superfície da Lua, o general Costa e Silva decidia se descartava um valete ou uma dama na animada mesa de jogo do Alvorada. Não deu a mínima para aquela bobagem da Nasa.

A vida ensina menos pelo sucesso e muito mais pelo fracasso. Já tenho idade suficiente para aceitar essa verdade. Mas os fracassos a que me refiro não precisam pesar uma tonelada de vergonha ou de constrangimento, podem ter uma leveza pedagógica e até divertida.

Paris me lembra um desses. Tínhamos, Alberto Morelli, Marco Antonio de Rezende e eu, trabalhado juntos no *Jornal da Tarde* e, ao nos reencontrarmos na França, em 1969, ousamos pensar em criar uma espécie de agência de notícias capaz de remediar nossa penúria de dinheiro. Era um belo projeto, ao qual me submeti com certa resignação, consciente de que já não poderia prolongar meu anestesiante sono até meio-dia naquele outono friorento.

Um dos primeiros desafios já se apresentou de cara, com o anúncio de que o Nobel de Literatura tinha saído para Samuel Beckett. Alberto, serelepe, em questão de minutos conseguiu o endereço do dito-cujo, no modesto apartamento parisiense que se debruçava sobre um *grand boulevard* e o sombrio cenário da prisão da Santé, ainda hoje em funcionamento.

Eu nunca tinha lido uma única linha de Beckett, jamais vira alguma de suas peças. Não saberia distinguir Beckett de Brecht — nem de Beckenbauer. Tenho dúvidas se meus parceiros estavam em melhor situação elucidativa do que eu. De mais a mais, o escritor irlandês cultivava uma reclusão formidável, não dera nenhuma entrevista ao longo da vida.

Não sei bem por que os três fedelhos *brésiliens* consideraram possível a hipótese de que Beckett viesse a abrir uma exceção logo para nossa aguerrida e ignorante trinca. Tentamos, quand même. Um dedo mais destemido tocou o interfone. Alguém atendeu e perguntamos:

— Monsieur Beckett?

O interlocutor replicou com uma voz cortante que condizia com o perfil de águia do nosso potencial entrevistado:

— *Il n'est pas là.*

Ainda bem que não houve a tal entrevista. Poupou-nos do vexame de fazer a um gigante das letras perguntas tipo "como o senhor está se sentindo?" ou "quais são seus planos para o futuro?". No café defronte, aonde fomos afogar nossa frustração, um garçom gentil nos consolou com uma sequência de informações curiosas sobre os hábitos do vizinho esquivo mas habitué do local. Explicou até como aquele gigante entrava num 2 Chevaux, o carrinho da Renault tão esquálido que uma ventania mais forte conseguia virar.

Tínhamos conteúdo para uma matéria decente. Nem precisaríamos usar do expediente que acabaria se revelando comum entre uns e outros colegas de redação mais topetudos. Em ocasiões espinhosas, eles simplesmente inventavam as perguntas e as respostas. Com a certeza de estarem sendo mais geniais do que o idiota do entrevistado — mesmo que se tratasse, se fosse o caso, de um Nobel de Literatura.

Deus existe

Vou aprendendo, dia após dia, que o corpo é dono de uma irrefreável soberania. Ele decide, imperioso, coisas nas quais a razão vacila, hesita, fraqueja. O corpo tem uma sabedoria própria. Digo isso porque seria fácil atribuir meu enguiço a uma intromissão externa. A uma herança genética, por exemplo. Rejeito ferozmente a ideia de que minha mãe e meu pai tenham me transmitido alguma coisa além de amor — e, é claro, o aprendizado guloso da mesa domingueira.

Mas é inevitável pensar: somatizei o Brasil, somatizei a política, somatizei as delações, somatizei a intolerância, somatizei o Trump, somatizei o 7 a 1 da Alemanha. Ou terei somatizado o drama de vovó e vovô?

Não, o corpo manda no corpo.

Momentos de tristeza suprema são momentos de tristeza suprema, não geram tumores malignos ou doenças degenerativas. No máximo, dão ânsia de vômito. No dia do impeachment de Dilma, aquele *freak show* de ignorância festiva e de hipocrisia carnavalesca, eu preferi escrever a convalescer. Minha indignação cívica se voltou contra o farisaísmo religioso. Escrevi: "A julgar pelo número de parlamentares que emitiram seu voto em nome de Deus, não há confraria terrena, nem mesmo nos sagrados recintos da Santa Sé, tão magnanimamente agraciada com o dom da interlocução direta com o Todo-Poderoso. Recorre-se a Ele, no plenário, em perorações eivadas de ódio nada cristão, com uma intimidade surpreendente, de fazer gosto. É o tipo do momento em que vale a velha máxima: graças a Deus sou ateu".

Não adiantou nada, a minha raiva — talvez tenha apenas reforçado minha recusa ao sobrenatural. O que me remete, mais uma vez, ao meu avô. A religião o abandonou, mas intimamente meu avô não abandonou a religião. O martírio canônico imposto pela deserção do amor divino em troca da paixão carnal desdobra-se em múltiplos itens, um dos quais, categórico, consiste, ou consistia, antes do papa Francisco, na excomunhão.

Vovô acatou, talvez resignado. O banimento se estendia até a terceira geração do prevaricador, o que me incluía, fato de que só me daria conta muito mais tarde. Já que o inferno estava assegurado, não seria o caso de eu ter explorado mais francamente os encantos do pecado?

A fé, para quem a tem, é teimosa, pertinaz, grudenta, e para o vovô — e para a vovó também, cúmplice dele no pecado — deve ter sido um malabarismo exasperante administrar a culpa que a Igreja lhe impingia sem que viesse a se sentir obrigado a um fictício arrependimento. Com certeza, dúvidas podiam aflorar, aqui e ali: "Fiz o certo?". Pois a instituição que intermedeia a sua crença o ameaçava, a ele e a sua prole, com as trevas fumegantes do inferno e o tridente afiado do belzebu.

Em acatamento aos desígnios sacramentais, vovô não ia à missa — as portas da Igreja lhe estavam vedadas. Vovó, que eu me lembre, ia, após a morte do vovô, mas em frequência errática. Fiquei silenciosamente ressentido de ela não ter comparecido ao meu casamento, apesar de minha insistência. Até o último momento esperei vê-la aparecer. Sua íntima contrição a afastava dos ritos.

O catolicismo estabelece uma espécie de conta-corrente de penitências pelas quais as fragilidades humanas, inescapáveis até para os santos, podem ser compensadas de forma a se aspirar ao paraíso. A vida na Terra seria um espinhoso percurso entre a culpa e o arrependimento, o terror e a recompensa. Minha família, à sombra da condenação a priori, mesmo assim se assoberbava nos encargos da doutrina, para o que ajudava a circunstância de minha outra família, a do lado materno, ser ainda mais carola, de oração à mesa e comunhão diária.

Eu frequentei muita missa no Convento dos Dominicanos, vizinho de casa lá na encosta do bairro da Serra, até o dia em que me decretei ateu — antes, bem antes de tomar conhecimento do imbróglio eclesiástico em que vovô se metera. Quando soube, imaginei o alívio que vovô haveria de ter experimentado ao se desvencilhar daquele script punitivo e excruciante proposto pelos Evangelhos e pelas Sagradas Escrituras.

Nada disso. Repelido pela instituição, vovô passou a viver uma crença sem intermediários. Era português — convém lembrar. E Portugal nunca deixou de ser uma das últimas fronteiras do papado, adepto das cruzadas e dos autos de fé, resignado a crendices e superstições. Logo que a República recém-criada anunciou sua laicidade, no início do século xx, rompendo a secular tutela da batina e dos paramentos sobre os hábitos da vida civil, o catolicismo tratou de replicar com o espetáculo dos três pastorinhos de Fátima, o espectro da Virgem ao pé das azinheiras, na Cova da Iria.

Meu avô já estava no Brasil quando o, bem, milagre se deu — milagre, sim, uma vez que a pátria lusitana, a partir de 1917, renunciou a qualquer projeto de modernidade que implicasse ousadia e risco político, social, comportamental, para se recolher piedosamente aos oratórios domésticos, sob a proteção dos santinhos que ouviam vozes. Fátima sempre teve grande efeito sobre a família — indo muito além de batizar aquela que seria, por ironia, a mais festeira de minhas irmãs. Aconteciam frequentes visitações de uma imagem grandota, procedente sabe-se lá de onde, em que o andor era carregado de casa em casa, na vizinhança, por homens robustos, puxando uma estridência feminina de cânticos e de ave-marias.

Vovô, o excomungado, chorava em frente à vitrola de console que tinha na sala, buscando ouvir, no franzido metálico e quase sempre indecifrável das ondas médias e curtas, a missa dominical do Santuário de Fátima. Vovô chorava, me contou minha mãe, eu mesmo não vi — e teria me assustado se testemunhasse a aparente fragilidade de um homenzarrão que era o sólido pedestal da família.

Houvesse uma contabilidade do céu com o nome do meu avô, a cena de sinceridade humilhada da remota missa de Fátima teria de lhe render alguns dividendos de perdão divino, em face da perspectiva categórica do braseiro do diabo.

Vovô acreditava, e tentava se reagregar ao rebanho de Cristo. Chegou a crer na hipótese de terceirizar a remissão de seu delito. Pouco tempo antes de morrer, foi bater às portas da Cúria Metropolitana de Belo Horizonte, um prédio horrível, cinzento, salpicado de mica, de fachada autoritária, num ângulo diagonal ao Palácio do Governo, na praça da Liberdade.

Na sinistra casamata imperava uma criatura igualmente sombria, o arcebispo Antônio dos Santos Cabral. Esse nome, aliás, encorajou vovô a procurá-lo, ele que seria também um António dos Santos Cabral se não tivesse meu bisavô decidido afixar o apelido toponímico — Beirão, natural da Beira — em sua descendência.

D. Cabral era uma praga. Entre as sempre impiedosas decisões de sua inquisição sistemática, aconteceu de ele se recusar a consagrar a igrejinha de São Francisco de Assis, um dos brincos do conjunto arquitetônico da Pampulha. A capela ficou catorze anos impossibilitada de oficiar o culto porque o arcebispo cismou com o arquiteto, Oscar Niemeyer, e com os painéis de Candido Portinari. O purpurado demente viu no desenho uma simulação da foice e do martelo. Niemeyer era sabidamente comunista, assim como Portinari, mas isso jamais impediu que suas igrejas e até catedrais abrigassem a celebração da fé. Só em Belo Horizonte é que não podia.

Vovô, António Cabral Beirão, já combalido, marcou uma audiência com o dito-cujo, Antônio dos Santos Cabral. Não era o pároco mocinho do interior que vinha lhe abrir o coração, e sim um pai de família maduro, um cidadão de respeitabilidade social, um homem bem-sucedido. Apresentava-se humildemente para tomar a bênção do dignitário da Igreja e se prostrar com toda a humildade perante alguém que poderia lhe conceder a esperança de uma graça divina.

D. Cabral despachou meu avô com a arrogância que lhe serviu, com certeza, pouco tempo depois, de passaporte *one way* para os quintos dos infernos.

Capitalismo monopolista

A loja de louças do vovô ficava na rua São Paulo, perto de um cruzamento intrincado de onde se vislumbrava o obelisco da praça Sete e os primeiros fícus enfileirados da avenida Afonso Pena. Distanciavam nossa casa da loja quinhentos metros de caminhada e a inconveniência de uma formidável ladeira, que os passos miúdos de uma criança haveriam de abjurar como a um Himalaia vertiginoso. Eu evitava a todo custo ir até lá. Poucas vezes minha índole carrancuda, tão diferente da bonomia do Paulo, acedia em galgar, ainda que de mãos dadas com mamãe, o desafio da colina.

No dia de Santo Antônio de Lisboa, aí não tinha jeito. É que na diagonal da esquina em que se podiam distinguir as porcelanas e as baixelas da Casa das Louças, no outro ângulo do cruzamento, erguia-se, num ensaio de promontório tímido, a igrejinha dedicada ao padroeiro lusitano. Retratos em sépia testemunham o constrangimento devoto de dois infantis padrecos, ajaezados em batina marrom, a cintura cingida por uma corda beata — o Paulo e eu. Não parecíamos esfuziantemente felizes.

São estranhos a mim os sentimentos então suscitados pela fatiota clerical, porém ainda experimento o desespero de atravessar um cipoal hostil de pernas carolas, o banzé das beatas atropelando-se em direção ao pequeno santuário, enquanto mamãe nos puxava até o lugar onde repousava, numa confusão de mãos, o cesto de pães que se tinham por abençoados. O sacrossanto maná devia acolher, em sua receita profana, predicados transcendentais, mas só o que eu conseguia identificar, na mastigação penosa, era um sabor aziago que eu seria capaz de jurar ser de erva-doce — embora saiba que eu é que atribuo à erva-doce, até hoje, tudo o que de mais infeliz há no paladar.

A fuga — enfim! — da balbúrdia peregrina nos remetia ao outro lado da rua e ao imediato consolo da acolhida que vovô nos propiciava, aquele homenzarrão austero deixando-se derreter diante dos dois exemplares de sua descendência e tratando de, por sua vez, nos derreter, a nós, com as balas que arrancava, aos punhados, do poço profundo de seu bolso. Mamãe relevava, como tantas vezes faria ao longo da vida, tal indulgência de sacarose.

Abastecia-se de balas e confeitos, o vovô, numa portinhola ao lado da sapataria do sr. Linhares, que ocupava toda a esquina defronte. O sr. Linhares era um homem de verbo ágil e passadas lépidas, mas o que fazia seu nome borboletear na prosa dos vizinhos era a lenda de uma sorte implacável. Vira e mexe, ganhava na loteria. Numa conversa com papai, vovô relativizou: "Vai ver só o que ele gasta no jogo...".

De triste, medonha lembrança, a farmácia ficava ao lado da loja do vovô. Padecia eu, criança, de achaques de bronquite, surtos que a minha avó prontamente relacionava com o espectro mortífero da tísica. Na urgência de uma crise, o farmacêutico facinoroso me sentava uma injeção, depois de mamãe ter me subornado com a promessa de um milk-shake no balcão das Americanas. Eu me deliciava com o sorvetão e em seguida corria até a porta da farmácia a fim de xingar o carniceiro.

Quando vovô se foi, papai ficou cuidando da loja e abriu uma segunda, a não mais que cem metros de distância, com uma providencial — para mim — lanchonete no intervalo. Eu pedia um iogurte em copo alto de sundae, enchia de açúcar e fitava, admirado, o cacoete de meu pai de raspar a base da xícara de café no pires cada vez que sorvia um gole. Era bonito.

O lançamento publicitário da loja incluiu, muito a propósito, rugidos de leão da Metro no insistente spot de rádio e enormes pegadas pintadas no asfalto, a conduzir até a casa nova — chamada de Leão das Louças. Conheci décadas depois os publicitários que fizeram a campanha. Achavam meu pai meio maluco. Por isso mesmo gostavam muito dele. Meu avô dificilmente iria tão longe em urros de marketing.

A fatalidade me encaminhou, com requinte de sadismo, até a porta da loja original, a Casa das Louças, bem no dia em que tudo o que havia dentro dela foi a leilão judicial. Eu nem morava em BH, passava por ali não sei por quê, mas assisti à distância o desfecho triste de um negócio que meu avô começara, mais de três décadas antes. Meu pai perdeu, além das duas lojas, a casa e uma pequena constelação de outras atividades industriais problemáticas.

Minha aptidão para a culpa me transportou para a caixa de quarenta e oito lápis de cor da Faber Castell que comprei numa volta às aulas. Quarenta e oito lápis, a maior de todas — até branco e salmão tinha. E eu não era nenhum Matisse, nem seria. Mas o bolso do papai tolerava uma prodigalidade sem perguntas, e assim acabei incorrendo no fatídico exagero. Meu lápis de cor quebrou meu pai.

Perguntei de certa feita a minha mãe:
— Papai sofria?
— Sofria, mas logo seguia adiante — ela me respondeu.

Rua da Trinitária, 96

A certidão de nascimento de Nirlando Alcino Miranda Beirão — sim, Nirlando Alcino era o RG português dele — trouxe a pista, pachorrentamente perseguida pela Ledinha, arqueóloga de genealogias, do verdadeiro torrão natal do papai, até então tão dissimuladamente silenciado por meu avô no despiste da maldição eclesiástica.

A família residia na freguesia da Foz do Douro, do antigo concelho do Porto, depois de deixar Alegrete e o Brasil. Família quer dizer: vovô, vovó, tia Neuza, aí pelos seus três anos, e agora papai, punido desde o berço, sabe-se lá por que razão, ou desrazão, com o suplício de um nome intrincadíssimo (dificuldade que se tentou amenizar, anos mais tarde, de novo no Brasil, quando o infante foi registrado com o nome de... Nirlando Moacir).

No endereço — rua da Trinitária, 96 — resiste uma casa velha e esquisita, de dois andares, o de baixo sugerindo um porão de secos e molhados, o de cima alcançável por uma escada sem charme que domina a fachada. De uma singeleza, bem, franciscana, nada que destoasse, porém, da paisagem urbana do distrito, muitas décadas antes de as famílias endinheiradas do Porto virem a descobrir o prazer luxuoso de debruçar suas mansões em frente ao Atlântico. O núcleo original preserva as vielas estreitas, com calçadas altas como se fossem parapeitos, obrigando os teimosos carros que por lá se aventuram a um curioso malabarismo: as rodas de um lado trafegam no leito de paralelepípedos, as rodas do outro lado equilibram-se sobre a calçada vertiginosa. Não existe um motorista de táxi no Porto que não ache a peripécia a coisa mais natural do mundo.

O Registro Civil da 2ª Conservatória do Porto confere a papai o dia 10 de junho como data de nascimento — 10 de junho de 1921. Esméria Miranda Beirão, a mãe, era apresentada como "natural de São Cristóvão, concelho da cidade do Rio de Janeiro", e tinha vinte e cinco anos. O pai, trinta e quatro anos, era natural de Mangualde. Foram testemunhas Augusta Cabral Beirão Rodrigues e o marido dela, José Cabral Rodrigues — provavelmente irmã e cunhado do vovô —, "residentes à rua Alegre", um daqueles becos sinuosos que ainda hoje tributam um toque nostálgico à Foz do Douro.

A proximidade dos parentes pode esclarecer por que meu avô e minha avó se fixaram ali, imunes ao charme cosmopolita da cidade do Porto, praticamente bilíngue desde que os ingleses — sempre eles — descobriram no finalzinho do século xvii a delícia que era o vinho local. Por outro lado, não dá para descartar, na opção de moradia da família Beirão, a gentileza de um microclima em geral irrigado pelas brisas oceânicas e menos úmido do que aquele que enregelava os ossos indefesos nos cortiços da Foz da Ribeira e arredores. Por fim, é bom lembrar que se erguia na Foz do Douro um imponente sanatório para tuberculosos e, como mencionei, se alguma obsessão mórbida perseguiu a vovó a vida toda, foi esta: a sinistra tísica. Ela morreria de enfisema, mais de meio século depois. Vovô Beirão deve ter sobrevivido financeiramente à custa de sua erudição idiomática e sua cultura clássica. Já nas poucas vezes em que vovó nos concedeu, com avareza monossilábica, um ou outro relance, enevoado pelo tabu herético, dessa primeira temporada lusitana, foi para citar as vendedoras ambulantes que saíam pelas ruas apregoando sardinhas frescas, com um estardalhaço que parecia incomodá-la mortalmente, e para aludir ao pavor da instabilidade política que então imperava no país, em sequência de golpes e contragolpes e na lembrança de pessoas que eram buscadas em casa, de madrugada, para nunca mais reaparecerem.

Naquele início dos anos 1920, vovô voltara a Portugal a pretexto (quase escrevi: na esperança) de morrer. Lá em Alegrete, os males renitentes do estômago o assombravam com o fim próximo. Na terrinha natal, no aconchego dos irmãos, devia se sentir mais protegido — ele e a família. Não conseguiu morrer, ao chegar. Mas logo recuperaria a certeza de que o conseguiria. Os médicos do Porto lhe prescreveram uma cirurgia. Dá para imaginar em que consistia a técnica de romper os tecidos da barriga com um instrumento que hoje em dia jamais chamaríamos de bisturi e escarafunchar dentro do estômago à procura do maligno desconforto, tendo o paciente como anestesia nada além de éter e clorofórmio.

Vovô fraquejou. E tratou de acautelar o futuro da mulher e dos filhos. Tenho aqui comigo duas folhas de um papel de sombreado quadricular, o fundo amarelecido pelo tempo, a tinta esmaecida talvez pelo manuseio nas sucessivas leituras e o texto escrito com a caligrafia de letras nítidas que tanto me intrigou, pelo jeito de vovô aninhar a caneta-tinteiro na reentrância entre o indicador e o dedo médio, em vez de segurá-la com o apoio do polegar. Tem o tom melancólico, se bem que firme, de um testamento, com a minúcia de oito pontos cuidadosamente enumerados, e vovô usa sem constrangimento a palavra — "testamento". Mas, a julgar pelo estado do manuscrito, rasurado por rabiscos de correção e/ou arrependimento, é melhor acreditar que se trata na verdade de um rascunho para um futuro documento oficial. No rodapé, vovô ainda pedia ao potencial testamenteiro que registrasse o documento também no consulado do Brasil, para que ele tivesse vigência no caso muito provável de minha avó e filhos deixarem Portugal, na ausência do subscritor. Rogava, de todo modo, que os irmãos os socorressem.

É comovedor, quase um século depois, percorrer nessas linhas irregulares o compromisso moral assumido por um genuíno *pater familias*, àquela altura particularmente preocupado com a esposa "grávida de sete meses". Tia Nessília estava para nascer.

Mais uma vez, a morte o recusou. Não consigo deixar de imaginar, nas asas de uma subpsicanálise de algibeira, que o corpo do vovô devia responder a espasmos de uma culpa autoinfligida, ainda que inconsciente, em permanente conflito com a decisão corajosa que ele tomara, anos antes — a de seguir o que lhe ordenava o coração. Felizmente, prevaleceu o amor, trapaceando a morte, enquanto deu.

O mal do exílio

O País da Doença é a suspensão de tempo e espaço. Uma espécie de transitoriedade do permanente. Esta minha mesa de trabalho, por exemplo, é uma mixórdia desconfortável onde se acumulam tantos papéis passageiros e livros provisórios que a poeira passa a ser a única realidade incontestável.

Em que dia eu hei de tomar coragem para dar a cada coisa seu destino merecido?

O País da Doença são arrumações sempre adiadas porque terão fatalmente o sentido de despedida. Aquela carta, aquela foto, os documentos já amarelecidos do Imposto de Renda, receitas médicas do Período Mesozoico, press releases de notícias inúteis e vencidas — tantas coisas que tenho de remexer mas que me desencorajam. Ecos do passado que me consolam, já que do futuro não consigo ouvir senão vagos rumores.

Paul Auster se queixou, em *A invenção da solidão*, de que seu pai, inconsciente de que o fim o espreitava, não aliviou para os que ficavam o ônus de sua barafunda. Eu, aqui, nem um pouco desprevenido, cometo a mesma pilantragem. O País da Doença se manifesta num bailado de aventais brancos. Tenho a fisioterapeuta generosa que tenta movimentar, com molas e dobraduras, minhas pernas inertes. Tenho a fisioterapeuta que vela preventivamente pelos meus pulmões com suaves exercícios em engenhocas de sopro. Tenho a nutricionista que me deu o mais agradável dos conselhos: comer muito, e de tudo. Tenho a fonoaudióloga que socorre minhas cordas vocais invariavelmente atacadas pelo muco, pelo refluxo e pela tosse. Tenho o neurologista requisitadíssimo, campeão do otimismo, sempre descansando as malas de algum simpósio internacional em que cientistas anunciam a quase definitiva panaceia para acalmar o desgraçado do neurônio motor. Tenho a fisiatra do hospital distante que de dois em dois meses checa a minha démarche, com visível desalento, mas me oferece o lenitivo de uma receita de antidepressivo.

E tenho o privilégio de ter um amigo que por acaso é médico, o médico mais admirado do Brasil, a quem o holofote da tv e da imprensa não conseguiu impingir a tentação de ser — como alguns de seus colegas — um semideus; articulador midiático de esperanças, demolidor de crendices tolas, seu estetoscópio voltado para auscultar a pulsação de uma nação que luta para sobreviver. Além de ser um escritor de dedos bailarinos e um leitor disposto a relevar as baboseiras alheias.

Revejo meu passado clínico, de tantas consultas, tantos exames e tantos diagnósticos, e um sentimento de distante inutilidade trava minha memória. Há prédios de consultórios que frequentei, andar por andar, em busca de uma miragem chamada saúde — como se meu corpo, em sua natural fragilidade, não fosse uma sequência encavalada de enguiços até a revelação fatal do pior de todos.

O País da Doença é uma terra de exílio. Eu me sinto um exilado, mesmo que seja grotesco e injusto me comparar aos exilados de verdade — aqueles milhões de infelizes que perambulam por terras e mares em busca de um teto seguro e de um naco de pão. Eles arriscam-se, em travessias impiedosas, porque talvez ainda almejem encontrar em algum lugar, em algum futuro, o que possam chamar de vida. Eu, no meu refúgio interior, ao contrário, tento me acomodar, em conforto doméstico, ao que resta de uma vida que, sei, me escapa das mãos.

Fujo pelo motivo fútil da exposição social, a vaidade tola que me lembra que eu era outro, antes de ser o que sou — não porque filhos esgoelem à minha frente no desespero do estômago vazio ou porque bombas estejam explodindo sobre a minha cabeça em guerras com as quais não tenho nada a ver.

O exílio é uma aventura dolorosa. A literatura gosta do tema. Imaginar que alguém teria a coragem de entrar num daqueles barcos de migrantes deixando para trás o chão da infância e, às vezes, o aconchego da família sem levar dali a não ser uma muda de roupa é coisa que me assusta em seu fascínio.

Suponho o impacto sempre hostil da chegada. O visceral estranhamento. "Não tinha opção", deve se consolar o refugiado. Nada a fazer senão seguir em frente. Mas ele é um herói involuntário, alheio a seu próprio heroísmo. Suspeito que, ao partir, o refugiado nem sequer leve na bagagem um fiapo, que seja, de sonho. A partida é só adeus, desespero, atropelo. Se sonho chegar a haver, ele terá de ser tecido, aos poucos, cotidianamente, com as mãos curtidas pelo trabalho e com o novelo áspero da realidade. Penso no meu avô português ao chegar ao Brasil, na segunda década do século xx. Ele trazia uma missão, mas duvido muito que trouxesse uma fantasia. Acabaria por encontrá-la, no inesperado flamejar do amor proibido.

O que a doença fez de mais cruel comigo foi me impossibilitar de sonhar um sonho acordado. Também pudera: o meu corpo me exilou de mim mesmo.

Caminho por um parque estranho, de árvores descabeladas e veredas sombrias. Parece floresta de conto de fadas. Meus irmãos me acompanham. Minhas irmãs, com certeza, avançam junto comigo, como se fosse a coisa mais natural do mundo.

O Paulo ficou no caminho, em fase anterior do sonho, brigando com garotos que faziam parcours; eles se jogavam debaixo de automóveis, que freavam, com irritação. Tentavam repetir a cena do caubói de faroeste que escapa do trem se protegendo entre os trilhos. Eu também fiquei irritado com um deles, que quase atropelou o carro. Xinguei-o com força: "Idiota". Ele usava o boné voltado para trás — era, claro, a réplica de um daqueles que, na calçada da Paulista, me assustam com suas manobras de skate.

Bem, lá está o parque com jeitão de mata virgem, como aquele de Copenhague, e, de repente, surge uma descida vertiginosa como as de San Francisco. Asfaltada, lisa. Olho para aquilo e rio: não dá pra encarar. Minhas irmãs riem comigo e tomamos outro caminho. Difícil, porém. Tropeço nas raízes das árvores e bato numa tela. Não caio.

A cena seguinte sugere uma sala de espera de poltronas confortáveis. Estou sentado e digo: "Olhem, esqueci a muleta em casa, nem precisei dela". Minha mãe está diante de mim e sorri. Ela, que me ensinou a andar com minhas próprias pernas, festeja, com a sua sutileza extremada, que isso ainda seja possível.

Lusco-fusco

Oh, mar salgado, quanto
do teu sal
são lágrimas de Portugal!

Fernando Pessoa

Após a infrutífera tentativa de morrer, por parte de meu avô, em Portugal, os Beirão — agora cinco — estavam de volta ao Brasil. Vovó, vovô e os três filhos, Neuza, Nirlando e Nessília. Algum dinheiro foi adiantado a vovô, como antecipação da herança familiar de uma e outra quinta e uns tantos vinhedos. Mais que refazer a rota dos navegantes, fatalidade de uma nação com odor de maresia, vovô buscava com certeza plantar no Brasil os pilares de uma aceitação que o incidente chamado amor derrubara. Estabelecer-se com os rebentos, em aburguesamento bonachão, embora a custo, no início, de muito trabalho.

Contudo, o trabalho se apresentaria ainda mais desafiador depois que um larápio de dedos leves surrupiou do bolso do vovô boa parcela do espólio recebido. Ia talvez ao banco, sabe-se lá. Estava no bonde no Rio quando o espertalhão operou. Vovô foi dar queixa na polícia, o que só mesmo um forasteiro, desinformado dos hábitos e costumes locais, haveria de fazer. Não só por causa da inoperância carrancuda dos delegados e escrivães, mas porque a queixa punha a vítima à mercê da sanha debochada dos plantonistas de jornal.

Quem ouvisse a vovó relatando o ocorrido, tempos depois, haveria de imaginar que o furto em si foi menos doído do que a notícia estampada em um e outro matutino. Citavam a circunstância de o roubo ter acontecido à luz do dia, como que a reiterar a ingenuidade boboca do cidadão d'além-mar, retratado em trajes que denunciavam um estrangeiro desavisado e, pior de tudo, com um guarda-chuva a tiracolo em plena canícula tropical. A menção ao guarda-chuva deixava vovó furiosa.

(Faltou-me a oportunidade de, já em pleno conhecimento de causa, dizer a ela que jornalistas são de fato seres inconfiáveis que adoram chafurdar na miséria alheia com a pose de arautos de uma missão digna e sagrada, e tenho-o dito.)

Existe um vínculo entre a desagradável recepção carioca e a decisão de vovô de virar administrador de uma fazenda na região de Vassouras, estado do Rio. O café já tinha migrado para São Paulo, escorrendo pelo Vale do Paraíba até Taubaté, de onde se esparramou interior adentro, com as bênçãos do que a italianada das colônias chamava de *terra rossa* — "terra vermelha", e não "terra roxa", na tradução equivocada.

Vassouras, Barra Mansa, Barra do Piraí, Valença — mas sobretudo Vassouras — guardaram o faustoso consolo de casas-grandes de imponência secular, castigadas pelo tempo, é verdade, e ainda assim de honrosa decadência. Propriedades suficientemente amplas para que nelas tenha cabido, no Império, a honraria nobiliárquica de condes e barões.

Da Fazenda Cachoeira, meu pai se lembrava de uma pequena venda com a qual, para aliviar as despesas, o administrador, meu avô, amealhava uns trocados ao negociar secos e molhados com os empregados e os sitiantes. Meu pai atendia no balcão, tão alto (ou, talvez, ele tão miúdo) que tinha de ficar na ponta dos pés para, desajeitadamente, servir à freguesia doses e doses de *paraty* — "cachaça" era palavra maldita que nem sequer os cachaceiros pronunciavam.

Papai se alegrava com tais lembranças, assim como sempre exibiu orgulho em se dizer "fluminense" e declinar Vassouras como sua terra natal, com certidão passada em cartório. "Vassouras coisa nenhuma", maliciava minha mãe, "Várzea do Manojo" — o designativo correto do distrito onde a fazenda se localizava.

À medida que as verdades discretamente reveladas foram prevalecendo sobre os tabus silenciados, arriscou-se a versão de que a falsa identidade do papai, ou a nova certidão dele, advinha da precaução da família em legitimá-lo como cidadão brasileiro, atalho para desviar de um ou outro entrave burocrático futuro. Bem que papai, na adolescência, chegou a pensar em se alistar na Marinha, privilégio de brasileiro nato. Curioso sonho, a Marinha, para quem não sabia nadar.

O Vale do Café tinha na época o ouro verde como mera fantasmagoria do passado, em ruínas de tulhas e de terraços. O gado veio se achegando. De todo modo, a crise de 1929 não discriminou atividade econômica, e é bem provável que ela tenha inspirado no casal Beirão, fazendeiros de improviso, um projeto mais urbano. Não me perguntem por que Belo Horizonte, mal entrada no seu ciclo de balzaquiana.

Belo Horizonte, a jovem capital de Minas Gerais. Aquela Minas da qual o padre e a moça tiveram de se evadir, uma década antes, como no poema que Drummond haveria um dia de escrever (e Joaquim Pedro, de filmar). Teimosia. Pirraça. Ou, quem sabe, a confiança de que o passado era passado. Um sussurro talvez equívoco me traz a impressão de que Salvador chegou a ser também cogitada.

O que se sabe é que desembarcaram no lusco-fusco da tarde na Estação Ferroviária de Belo Horizonte — uma joinha arquitetônica inaugurada em 1922 pelo rei Alberto, da Bélgica, e hoje um extraordinário museu dedicado às artes e ofícios. De súbito, as luzes clarearam o saguão. O meninote Nirlando, ainda com cheiro de roça, se admirou: "Uai, os lampiões acenderam sozinhos". Teve de aguentar a gargalhada pelo resto da vida.

Meu avô conseguiu em Minas recuperar o patrimônio de sua honradez como cidadão e chefe de família. Comerciante de prestígio, líder empresarial, cônsul de Portugal. A fazenda de Vassouras ora e vez aflorava em ternas conversas ao pé da mesa. Meu primo Carlos Antônio conseguiu certa vez persuadir tia Neuza a checar a nostalgia com a realidade. Foram atrás da velha fazenda, em indicações imprecisas ditadas pela memória. Que, sabe-se bem, tem seus caprichos insondáveis. Foi a tia Neuza perceber, à distância, o sussurro de um riacho, nada mais do que isso, nem casarões, nem alamedas, só o rumorejar tão familiar de um riacho, para que seus olhos se banhassem de lágrimas — o que não era nem um pouco incomum — e ela afirmasse: "É aqui".

Labaredas de culpa

O meu avô preenchia bastante bem o figurino do *pater familias*. Era grandalhão, ossudo, corpulento, embora não gordo, com timbre patriarcal que impunha de imediato a prerrogativa da hierarquia.

Depois que ele se foi, me perguntei se meus olhos de infante bisbilhoteiro não teriam exagerado aquela arquitetura senhoril de que ele era constituído. No entanto, duas coisas me reassegurariam a respeito de sua verdadeira escala. Primeiro, as fotos em que ele aparecia ao lado da minha avó, condenada a se erguer na ponta dos pés para dirigir seu olhar derretido ao marido. E a gabardine bege que meu pai herdou e que na época eu ambicionava como a mais nada neste mundo.

A gabardine: um sobretudo forrado de seda, tipo capa da Burberry (só muito mais tarde eu haveria de conhecer o prestígio invejável de um trench coat da Burberry), que meu avô usara na sua viagem de despedida a Portugal. Não sei bem em que armário a gabardine ficou esquecida até o dia em que papai a resgatou, em faustoso esplendor, para um tour que faria pela Europa, na comitiva do ex-presidente Juscelino Kubitschek.

Tinha a ver, a excursão, com uma daquelas confrarias da portuguesada, o Elos Clube, tanto que a vilegiatura começaria por Lisboa. O fato é que a viagem decretou o início da reviravolta política de meu pai — ele que, adepto da UDN agourenta e histérica do Carlos Lacerda, acabaria por sucumbir à simpatia sorridente do presidente pé de valsa. As convicções políticas do meu pai irradiavam do coração, não faziam morada no fígado nem no estômago. A sedução de JK não duraria para sempre, mas ao menos papai nunca mais pronunciou contra o criador de Brasília os vis impropérios que meus tios maternos proferiam, a torto e a direito.

A gabardine: de volta da Europa, ela de novo desapareceu em algum socavão inglório até o dia em que a descobri e a retirei, maltratada, do seu vestiário sepulcral. Joguei-a nos ombros, porém foi ao enfiar os braços pelas mangas que entendi, desapontado, que a peça pertencera a uma criatura descomunal — ou pelo menos bem mais estruturada fisicamente do que eu, aos meus, sei lá, treze, catorze magrelos anos. Teria de ter paciência se quisesse usá-la. O que naturalmente jamais aconteceu.

O tórax do vovô dava vazão a uma voz bíblica, não no sentido da trovoada vingativa de um Jeová de arrogância monoteísta mas de uma locução musculosa, emoldurada por um treinamento que — soube depois — vinha das artes do púlpito. A firmeza não excluía uma modulação de delicadeza. Não era homem de esbravejar. E tem mais: sabia se divertir com os netos. Não levantou a voz nem sequer quando mamãe e minhas tias resolveram paramentar de um jeito pouco ortodoxo a mim, o primeiro neto varão, no Carnaval que chegava — me vestiram de baiana.

De todo modo, o temor reverencial devido ao patriarca sofria abalos cada vez que os céus se descabelavam em raios e trovões. Era um deus nos acuda — ao pé da letra. A solidez austera do vovô era acometida de um pavor apocalíptico, ele levava as mãos aos ouvidos e saía ziguezagueando pela casa, em agonia de fim do mundo. Minha avó o seguia, gritando: "Santa Bárbara, Santa Bárbara" — invocação que só veio a fazer algum sentido para mim no dia em que minha mãe dissertou sobre o suposto escudo meteorológico da referida padroeira.

Era um pânico infantil, o do meu avô — e aquilo azedava o espírito de todos os adultos, mas não o nosso, das crianças, que oscilávamos, por ocasião dessas tormentas celestes, entre a malícia da risadinha e uma discreta perplexidade.

Anos mais tarde, ao folhear uma daquelas revistas semanais em que triunfava a delícia do fait divers, li um texto dizendo que a mineralidade do solo de Belo Horizonte, coisa digna de um monumental ímã de pedra, fazia de nossa cidade um atrativo muito especial para as descargas elétricas que tanto aterrorizavam meu avô. Me apiedei dele. Mais ainda quando tomei conhecimento de um episódio que o absolvia definitivamente de sua liquidificação emocional frente aos roncos da atmosfera: na adolescência, em Portugal, vovô teria presenciado o momento em que um amigo foi colhido mortalmente por um raio, a curta distância dele.

Estava justificado: vovô podia reassumir o pedestal olímpico que lhe cabia na fantasia respeitosa de seus pequenos descendentes.

Eu poderia alegar que o medo desconcertante do vovô me autorizava a cultivar os meus, mas seria desonesto. Os meus medos sempre me pertenceram com estridente exclusividade — pessoais, intransferíveis. Os miasmas da puberdade e o espectro da vida adulta fizeram com que me retraísse a um território exíguo todavia seguro. Passava horas em casa, estudando. Os livros eram na verdade minha barricada emocional. "Ele só queria saber de ler", comentou uma vizinha supostamente interessada em mim. Eu lia porque tinha medo das meninas supostamente interessadas em mim.

Tive, por algum tempo, medo do fim do mundo, que, segundo meu amigo Manuel, seria executado por labaredas formidáveis em data cabalística de número redondo. Por extensão, passei a temer o Sulfuroso mesmo antes de ler *A divina comédia* e sua descrição dos estágios do castigo eterno, pois o imaginei me espreitando com um sorriso de sadismo. O colégio de padres me infundiu a ilusão de que eu poderia apascentar o meu pânico cósmico com o fervor das novenas, da comunhão e com o arrependimento por meus pensamentos obscenos.

Entrei para a Cruzada Eucarística, o que me obrigava à missa das sete da manhã, aos domingos — e em jejum. A gente se revezava no altar, empunhando com garbo o estandarte da Cruzada. Certo domingo, um colega desabou lá de cima, com estandarte e tudo. Estômago vazio. Foi imediatamente dispensado. Mas me inspirou a ideia marota de imitá-lo numa queda coreográfica, clamorosa. Chegou meu dia de protagonista, e lá estava eu, no palco, enfim, ensaiando o espetáculo, quando um dos nossos se antecipou e encenou um desmaio de ator medíocre. Nunca perdoei o desgraçado.

A educação religiosa conduz ao paradoxo de, ao longo do tempo, você passar a rir daqueles anjinhos ridículos, aboletados nas nuvens e tocando lira, ao pé do Deus barbudo e bofento. E ir aos poucos simpatizando com o anjo caído. O demônio, suspeito, deve me achar um sujeito legal.

Boina, cardigã e compêndios de história

Sempre quis ser velho. Desde muito jovem, eu me via velho. Minha ideia de velhice incluía um cardigã de cotovelos reforçados em couro, meias de lã, um livro no colo e uma biblioteca ao fundo (devia fazer frio, na minha velhice imaginária). Se fosse escarafunchar mais profundamente a fantasia, talvez houvesse Paris atrás da porta, o Café de Flore a uma cômoda distância, quem sabe, apenas para brindar com um Calvados: uma rápida distração para o leitor impenitente que eu seria. Às vezes, dois ou três camaradas chegariam à mesa, para conversas de melancolia socialista, todos nós com a cabeça cingida por uma boina basca de revolucionário sem remissão. Boina vermelha, naturalmente.

As leituras seriam fartas, em horas indormidas, sem prazo para acabar. Compêndios de história geral, repolhudos porém com aragens de aventura, a Rota da Seda do Levante até a China, os mistérios do khazars e dos usbeques, a genuína travessia de Marco Polo, Bruce Chatwin,

Cees Nooteboom, Kapuscinski, Paul Theroux, mas também obras que remetessem aos momentos mais trevosos da humanidade — a brutalidade das Inquisições, as atrozes caças às bruxas e aos chamados hereges, a insensatez das guerras, tudo isso que a gente experimenta de tão perto neste sinistro momento. Para refrescar a mente, eu até me permitia — na premonição da velhice — revisitar um ou outro romance clássico.

Hoje sou um velho e as pessoas me tratam como tal. Com respeitosa delicadeza, devo dizer. A coluna encurvou na busca de um equilíbrio no qual as pernas falecem e no amparo consolador de uma engenhoca amiga, dobrável, maleável, de superior leveza, a que os experts dão o nome de "andador". Brinco, muito sem graça, que ele é a minha Ferrari. De vez em quando, o chamo de "minha viatura".

Sou velho mas não sou o velho que eu, desde muito cedo, sonhava ser. O velho de aposentadoria, no sossego da leitura infindável, com o conhaque no antebraço da poltrona, mal arranha a caricatura do velho que virei. Leio profusamente, contudo a cabeça convulsa não se aquieta, a alma trôpega se intromete entre as frases, a angústia martela a sintaxe. Ainda assim, insisto e busco o encanto da palavra alheia.

Minha mesa de cabeceira é a mais recente vítima de uma confusa impaciência. Até a fotografei, no acúmulo desconexo de volumes aos quais a poeira vem chegando antes mesmo que meus olhos pousem neles. É como se eu tivesse de resgatar, agora, rapidamente, as promissórias antigas de minha considerável ignorância, e, pelo que observo nas pilhas vertiginosas deitadas a meu lado, essa ignorância é bastante eclética, e minha pressa, bastante contraditória.

Já poderia ter removido dali, por lida, a autobiografia

do Philip Roth — *Os fatos* — em que ele engendra o artifício genial de dialogar com seu alter ego ficcional, Nathan Zuckerman, para justificar uma narrativa até certo ponto corriqueira. Até certo ponto, digo, porque, afinal, quem escreve é Philip Roth, autor nada corriqueiro. A leitura me ofereceu o consolo de um encantamento tardio com um escritor a quem ainda não havia entendido plenamente, conformado que estava com a ideia de haver um gap de geração aparentemente intransponível entre nós. Prometo a mim mesmo: outros Roths virão.

No sanduíche de páginas e páginas incoerentes, assoma a rumorosa rivalidade entre Ghiberti e Brunelleschi, que pautou os melhores momentos do pré-Renascimento arquitetônico em Florença. Percorro com interesse, embora devagar, *A disputa que mudou a Renascença*, a querela de dois gênios que tiveram a má ideia de disputar o mesmo espaço de notoriedade pública — de forma que um teria de ser fatalmente espirrado para fora. Mas por que diabo haveria eu de querer enveredar hoje por polêmicas tão pretéritas? Para me preservar das estéreis polêmicas do presente? Para me conceder um lustro ainda que atrasado sobre a *Golden Age* de uma humanidade que agora tão decididamente chafurda na barbárie? De todo modo, sei que, antes de concluir o livro, preciso tomar partido: Ghiberti ou Brunelleschi? Se bem que o efebo Donatello, o *tertius* da genialidade, também espreite minha escolha.

A que mais a urgência me convoca? Ah, tem um Salman Rushdie pela metade, que eu vinha trilhando antes, desde o tempo da normalidade, um Ian McEwan que me decepcionou mas do qual ainda não desisti, uma coletânea de novos talentos da *Granta* e — num aconchego que tem a ver com a paixão, só com a paixão — um romance de

García Márquez que já li e reli muitas vezes e aquele *Orientalismo*, do palestino Edward Said, bíblia de tolerância e erudição que sempre tenho em mente reler, seja quando for.

Tive fascínio por livros e continuo mantendo-os em casa, em quantidade atordoantemente antissocial e antidecorativa. Não me orgulho do que as pessoas chamam, com reverência babosa, de "biblioteca".

— Você leu tudo?

— Não, claro que não.

Livros não fazem as pessoas melhores. A vida é que sabe ensinar. Na adolescência, no início da vida adulta, um dos meus prazeres solitários era o de manusear livro após livro, por horas a fio, numa compulsão de seguidas livrarias. Me sentia um candidato à sabedoria. Não estou mais disponível para o exercício de uma exaustão antes tão gostosa. Vou sacar de um volume a esmo e buscar nele a cadência da leitura possível, em *allegro giocoso, ma non troppo vivace*.

Aleph

A primeira vez que ouvi a palavra "diplomata" eu devia ter uns sete, oito anos. Disse-a meu colega Manuel Antônio, aliás futuro diplomata, proprietário de tantos sobrenomes quanto os de um Luís de França. Imaginei no diplomata um profissional de óculos de aro de tartaruga enfiado em porão sombrio, no trato pachorrento de mapas antiquíssimos — como aqueles que despontam, em surtos de surpresa, em textos enigmáticos de Borges. Fantasiei-o cuidando também de gravuras empoeiradas e, em mérito ao nome, diplomas, e igualmente medalhas e comendas. Diplomatas já nasciam velhíssimos — do jeito como eu me sentia.

Ao longo dos anos, acreditei que o status da diplomacia compensava o pedregoso vestibular do Instituto Rio Branco, onde sobrenomes nobiliárquicos como os do Manuel — e esse não era o meu caso — costumavam aplainar as dificuldades do inglês e do francês. Ser aprovado era por si só uma insígnia social. Valia o desafio.

A diplomacia com que eu sonhava fazia todo o sentido para quem pretendia levar a vida na maciota. Viagens pagas pelo Erário, o descompromisso afetivo de trocar de posto antes de se apegar a ele, uma rotina burocrática suficientemente camarada a ponto de não interferir no seu real interesse, fosse ele a escrita poética ou lições de javanês. Um biombo emocional que fizesse você se levantar de uma conferência acerca de massacres étnicos na África para ir dissertar num bistrô vizinho, à frente de uma taça de syrah, sobre as afinidades estéticas entre Paul Klee e Yves Klein.

Esse eu imaginário, grau zero de comoção, de placas tectônicas imunes a qualquer tremor, sucumbiu à realidade mais tenebrosa: o direito de me entusiasmar. Desisti do limbo diplomático em troca de uma profissão plebeia e dos amores mundanos. Daí em diante eu que viesse a policiar o perigo tóxico da euforia, aquele que meu pai professava sem o menor constrangimento, à beira de um ou outro precipício.

Foi aí que decidi desistir do futebol de rua e equipar-me com uma postura compenetrada, um jogo de xícaras de chá e, ah, a biblioteca. Sim, a biblioteca — com ênfase pleonástica, hiperbólica. Volumes e volumes despencando de paredes sufocadas. De preferência na desordem caótica que induz um garimpo sem fim mas sempre prazeroso. Quanto mais desordenado, melhor.

Prazerosa era também a colheita nas livrarias do mundo. As de Buenos Aires, de Paris, aqueles monumentos de volumes antigos como a Strand de Nova York, os sebos da Charring Cross que tive uma vez o privilégio de vasculhar com o professor Raymundo Faoro, na busca de alfarrábios shakespearianos.

Ainda é tempo de me penitenciar por uma transgressão covarde. Roubei um livro na Maspero, livraria que ficava a dez passos do Boulevard Saint-Michel, na Rive Gauche das pulsões revolucionárias do pós-68. Livraria e editora de esquerda, acolhia publicações do Terceiro Mundo, dos maoistas sartrianos a todas as inúmeras facções dos trotskos. A rapaziada ia lá surrupiar livros porque sabia que François Maspero jamais iria chamar os *flics*. Guardei na mochila uma *Antígona*, de Sófocles, em edição bilíngue — grego e francês. Eu disse: "Covardia. Eu me envergonho".

Cada livro traz uma história além de si mesmo, uma história de descoberta e de sentimento. Pensar em livro é pensar em Borges, que fez de suas leituras o cativante enredo de sua própria vida. Mas, na gangorra de meu humor ambíguo, meus livros parecem silenciar, e tenho vontade de gritar: livros não melhoram as pessoas. Assim como o fascínio incondicional por eles, foi se esfumaçando o cenário do velhinho que sonhei ser, estendido num horizonte acarpetado pela pelica do remanso e do deleite. O velhinho imaginário poderia tudo, ou quase tudo. Eu posso pouco. Só falta me convencer de que o que posso me é suficiente.

Breaking news

Resisti o quanto pude ao uso da palavra "fasciculações". Ela já aparecia, em seu enigma nervoso, no diagnóstico anunciado pelo exame neurológico, mas, não sei por quê, inventei que eram "fibrilações". Não quis entrar em detalhes etimológicos sobre esse meu ato — literalmente — falho.

As fasciculações são uns tremeliques que sinto por baixo da pele — nas mãos, nos braços, nas pernas. Significam que os músculos estão sob ataque cerrado do meu neurônio pernicioso e vingativo.

Lembrei-me daquelas imagens de ataques aéreos da aviação norte-americana no Iraque, no Afeganistão, na Síria. Você vê alguma coisa caindo e, de repente, no impacto com o solo, abre-se uma enorme clareira. Lá embaixo, algumas dezenas, centenas de inocentes serão vitimados pelas cruéis fasciculações da guerra sem sentido.

No meu caso, o bombardeio visa o tônus muscular — ou o que resta dele.

Tentei me convencer de que a doença seria uma ocasião

oportuna para eu aprender um pouco mais sobre como funciona o nosso cérebro, enveredar pelo mistério das sinapses elétricas e dos neurotransmissores químicos. Explicações nítidas para o eventual enguiço, como o meu, ainda constituem palpites. Sempre são endereçadas às pesquisas incipientes sobre o DNA. O meu, até então, eu tinha em boa conta. Não era porque minha avó e meu avô haviam pecado que a punição estaria inscrita no código genético. Digerir as informações científicas no didatismo do Google e da Wikipédia não é minha especialidade, ainda que pudesse vir a gostar de compartilhar conhecimento com outros desassistidos do neurônio motor. Mas logo eu, que continuo sem saber qual é a diferença entre vírus e bactéria. Consigo no máximo me compadecer de quem vive à sombra da mesma realidade trincada.

Soube do Ricardo Piglia, escritor argentino que já se foi, antes mesmo que eu pudesse oferecer, à guisa de solidariedade, a leitura de uma única de suas páginas que fosse. Sei do comandante do Exército que expôs o seu drama sem dramatizá-lo e sem se martirizar, e ainda por cima arejando o assunto com a irônica lembrança dos requisitos de aptidão física que a profissão das armas requer. Soube da Alexandra Szafir, advogada criminal que enveredava com seu veículo frenético pelos corredores do fórum de São Paulo na companhia, ossos do ofício, de facínoras muito mal-encarados.

Sei de Stephen Hawking, é claro, patrono longevo, o primeiro a me acorrer à memória quando fui informado da minha fatalidade progressiva. Fiz piada sobre ele para despistar a ansiedade. "Vou ficar assim como o Hawking, só que sem saber nada de física nem de matemática." O interlocutor podia se apiedar e dizer um "que legal, você está de muito bom humor". Eu não estava.

Cunhei uma boutade, para uso externo, quando me perguntam como estou. Digo: "Tem dias que acordo Franz Kafka, tem dias que acordo Frank Capra". Uma risada sublinha esse percurso, que vai da barata medonha à felicidade cinematográfica. Faz sucesso.

Minha vida é boa — e um inferno (meu antidepressivo recomenda mudar para "um purgatório"). Eu ouço música, vejo filmes, assisto ao futebol na TV, escrevo, leio, até mesmo folheio com certa imperícia manual o jornal impresso, hábito quase esquecido, e leio hoje com uma disposição amistosa à qual infelizmente o matutino não corresponde. Mas bem que tento, cumprindo aquela antiga fantasia da velhice erudita e bem informada, com um livro no colo, um conhaque ao lado, reforços de couro no cardigã de scholar inglês. E assim busco me preservar da corrosão emocional de ver a angústia da doença fatal me consumindo a cada minuto.

Minha psicanalista argentina me ligou querendo notícias. Não é a primeira vez. Ela quer me acompanhar nesta trajetória, e chegou a me oferecer um horário semanal para uma conversa por telefone. Não vai cobrar nada. Termino a ligação com a voz embargada. O que faz uma pessoa se interessar tão generosamente pelo destino de outra? Freud não explica.

O timing da psi foi impecável. Tive ontem uma queda em casa, e o zelador solerte foi chamado para ajudar a levantar-me. Busco responder à humilhação com uma chacota: "Beirãozinho Sete-Quedas", meu novo apelido. Melhor não contabilizar: já foram mais de sete. Outras virão, inapelavelmente.

Tento refazer o roteiro dos trambolhões. Teve aquele no Rio, ao qual atribuo, com a certeza da injustiça, o início de tudo — quer dizer, o alarme geral. Tropecei na relíquia de um passado que, naquele dia de verão, eu buscava resgatar no seu ingrato esquecimento. Tinha voltado de uma viagem ao norte de Portugal, aos redutos minhotos do vinho verde, e me detive uns dias na cidade do Porto, onde, depois de um lentíssimo mas delicioso prato de tripas à moda num restaurante que no entanto se diz Rápido, me aventurei pela Foz do Douro, à procura da casa em que vovó deu à luz meu pai.

O reencontro com o silenciado passado familiar, com o qual eu já andava às voltas em pesquisas bisbilhoteiras, me sugeriu um recuo até um passado meu que eu também tinha relegado ao baú das memórias. As fachadas lapidosas do Porto me remeteram ao cenário do Rio, corrijo, do centro do Rio, a faculdade em que estudei, o vizinho Gabinete Real, o Museu Nacional, o Paço Imperial, os becos e as ruelas por onde passaram insurreições, boemia, coquetes e a borboleta amarela da crônica do Machado.

Um Rio que eu amei e, por mera ingratidão, abandonei.

A sessão nostalgia resultou na fratura do pulso direito na austera escadaria de madeira da faculdade, antes percorrida aos saltos confiantes da juventude, e na disparada em direção ao aeroporto, doloridamente consciente de que não dá para confiar no padrão médico de uma cidade cujos melhores hospitais, como diz um amigo meu, têm nome de sorveteria.

O diagnóstico parece ter o pendor paradoxal de escancarar o usufruto das dificuldades. Tombos e tropeções estão liberados. A caminho do trabalho, ali na calçada escalavrada e traiçoeira diante do que foi o restaurante Massimo e onde agora impera uma cacofonia de caminhões de concreto, lá ia eu, amparado em minha bengala, quando um tropicão quase me fez ao chão. Ainda tive que aguentar o puxão de orelha do segurança: "Epa, cuidado!".

Dia especialmente miserável, aquele. De manhã, bem que Edgar, no táxi, tentou me reanimar: "É o frio, a coluna trava". Mas o pé esquerdo se recusava a se alçar mais de um centímetro acima do solo, a perna se arrastava penosamente. O mais estranho é a ausência de dor. É um, digamos, impasse epistemológico. As dificuldades costumam trazer o alarido da dor, o alerta que limita, mas não, aqui não, a penitência é indolor, a tragédia progride, implacável, porém só na coreografia do desequilíbrio caricato, da queda troncha, do colapso ridículo.

Pensei, no dia: se prosseguir assim rápido, terei de regredir à era das rodinhas. Já cheguei lá. Eu ainda tinha de sair para o trabalho, naquele fim de ano, dia após dia, numa simulação de coragem que, dentro de mim, azedava em raiva e desencanto. Hoje trabalho em casa. Meu corpo me traiu. Iria trair, de algum modo, mais cedo ou mais tarde, mas nem nos meus mais sinistros prognósticos eu contava com a falência vexaminosa dos dois pilares que me sustentam — sustentavam.

Cena em família

Minha mãe herdou do vovô a lauta mesa lusa dos domingos, na qual meia dúzia de convivas levava até lá em casa uma voracidade a princípio tímida, um apetite precedido pelo aroma de alho e de tabaco de segunda; apetite que, no entanto, logo prorromperia em garfadas prodigiosas e em talagadas gorgolejantes.

Minha avó, como de hábito, prestava-se no máximo aos canapés e tira-gostos, queijo, como convém a Minas, e esmerava-se em extirpar daquelas almas encouraçadas, enrouquecidas pela dureza secular e pela desconfiança atávica, um fiapo, que fosse, de conversa amena e franca.

Era uma prosista emérita, minha avó Esméria. Mas, ali, ao perceber o esforço inútil ante lábios trancafiados, fechava-se em copas — expressão que a gente aprendeu dela e que ela, em tais ocasiões, ainda que contrariando sua índole saltitante, tão bem sabia exercitar.

Eu percorria com o olhar esbugalhado — olhar que as fotos familiares iriam flagrar uma dezena de vezes —

aquela paisagem de homens como que curtidos numa estufa ancestral de silêncio e de resignação, incapazes de uma extroversão de prazer, desconfiados das arriscadas armadilhas do sentimento, até que panelas fumegantes desembarcassem finalmente na mesa, numa definitiva trégua de deleite.

Extroversão que era, ao contrário, a especialidade do meu pai, entusiasmo, euforia, alegria, extravasamento, tudo junto, exacerbadamente, sem limite, muito embora o elenco de carrancas dignas de uma gravura campônia do realismo socialista, aqueles semblantes figurativos, habitués de nossos domingos com sotaque, tenham chegado lá em casa por herança involuntária, resquício de uma portuguesada migrante das terras rochosas do norte a quem meu avô abraçara por dever de diplomático ofício e, antes de morrer, transferira essa responsabilidade para o meu pai.

Vovô fora cônsul honorário de Portugal por mais de década, com direito a saleta modesta dando para o balcão do Edifício Dantés, a pequena distância da sua loja — o negócio que assegurava o sustento da família. O consulado havia de ser uma referência de acolhida e afeto para quem sofrera a travessia do Atlântico com a alma resignada a um exílio sem volta — ainda que num país de língua semelhante e de mítica acolhida. Miguel Torga explicou maravilhosamente bem: os imigrantes portugueses foram os filhos que não couberam no berço. O português tem a alma forjada na sina da despedida.

De mais a mais, meu avô gostava de ir irrigar as raízes no Centro da Colônia Portuguesa, que minha memória situa na rua Curitiba, embora, se eu fui até lá mais de uma vez, foi muito. A oratória do vovô, lustrada nos púlpitos, era reivindicada nas cerimônias oficiais, em especial no 10 de junho, Dia da Pátria — e aniversário do meu pai, o que acarretava para ele, e para minha mãe, que o amparava com o consolo de sua companhia, o empecilho de comemorar a data em casa.

Depois que o vovô se foi, coube a papai, mais de uma vez, o encargo da discurseira. E à minha mãe, parceira fiel e resignada no Sarau da Pátria, competia a arrepiante perspectiva de ver assomar à mesa principal aquele incorrigível patrício pronto a — como em todas as ocasiões clubísticas — pedir a palavra e entoar dois ou três cantos dos *Lusíadas*, quando não, no embalo do recitativo, TODA a epopeia colonial lusa. Afinal, 10 de junho é a data da morte do poeta. Era minha mãe ouvir o "as armas e os barões assinalados...", para saber que a travessia poética adentraria a madrugada e começar a administrar o seu desespero.

Já a navegação domingueira em óleo, alho e bacalhau, a dona Leda encarava com a bonança e a suavidade de uma dona de casa que buscava agradar o marido. Enquanto eu me deixava embalar pela música dos talheres e pratos, era também em papai que botava os olhos, iludindo-me com a sua hospitalidade sempre muito ruidosa. Na verdade, sei hoje, um encargo de herança, tributo ao pai, pois no quesito comilança com estardalhaço ele estaria muito mais à vontade nos rega-bofes napolitanos do seu amigo Brunetta, capaz de espantar qualquer esboço de melancolia, com seu acordeão Scandalli de madrepérola, sua voz de tenor e um repertório de muitos "Sole mio". Desconfio que meu pai foi o mais *meridionale* dos portugueses — Palestra Itália à parte, naturalmente.

Aos poucos, o burburinho da mesa, os decibéis do falatório, iam se esvaindo para mim até que eu perdesse o fio da meada, incapaz de captar as minúcias da situação.

Domingo é sonífero onde quer que seja. Só mais tarde, já na cama, é que haveria de tentar reconstituir os eventos do dia, disposto a frequentar fantasias de terras distantes encapadas em rochas, com homens rochosos, almas rochosas — e caldeiradas de bacalhau navegando em azeite.

Aqueles vapores proletários do óleo passaram, aliás, a residir no olfato do menino enfatuado que tomava chá em xícara decorada achando que assim podia ir treinando para o ofício cerimonial da diplomacia. O festim à lusitana lhe parecia *légèrement dégoûtant*.

Vovó bem que buscava exercer o dom castiço de sua loquacidade, mas, tão logo davam as costas os convivas, ela tratava de descaracterizar naquela enrijecida corporação do trabalho braçal qualquer ramagem genealógica que pudesse se enganchar na nossa. "Primos, pois sim!", dizia a vovó. "Amigos da família, lá em Portugal, no máximo."

Um dos recém-chegados, o seu Dagoberto, homem rijo, de prole numerosa, deve ter porém se prevalecido de alguma proximidade familiar. Não só passou a ser o conviva mais frequente dos festins dominicais, como, desconfio, deve ter espicaçado na indefesa ingenuidade de meu pai o dever de lhe oferecer aval — no mínimo o aval — para se estabelecer por conta própria. Abriu um bar na zona boêmia de Belo Horizonte, ali na infame e decadente rua Guaicurus, um arsenal de gonococos.

A notícia foi compartilhada com angústia e contrição, mas a bonomia do papai não aceitava dúvidas. "O negócio vai dar certo", torcia. No entanto, não haveria de ser diferente: à primeira donzela da noite, ou à segunda, ou à terceira, que se debruçou, com languidez tropical, sobre o balcão da baiuca, o luso Dagoberto desesperou-se numa torrente de sêmen e na imediata decisão de abandonar mulher e filhos — volumosa filharada. "Bem que eu disse", maliciou a vovó. Papai se inquietou, prevendo que alguma dor de cabeça iria sobrar para ele. Como de fato sobrou. Passou a socorrer a família.

Seu Dagoberto nunca mais voltou a pôr os pés lá em casa. Tempos depois ouvimos de mamãe, no *sottovoce* de uma confidência com certo deleite vingativo, que a filha mais velha da piedosa prole lusa, uma mocetona sacudida, de ilhargas abundantes, deixara-se contaminar pelo ambiente e decidira se profissionalizar nos arrulhos do amor.

Abraço no passado

O mistério de vovô, quando enfim revelado, não nos causou angústia; a mim, ao menos, não, incapaz que sou de me atemorizar com as punições da fé e da doutrina, com as setas furibundas do deus vingativo. Ao contrário, a descoberta gradual, entrecortada de vazios, às vezes confusa, com desafio de quebra-cabeça, me envolveu numa auréola perfumada de romance; tive orgulho de ver instalado na rotina sem surpresas de uma família normal o enredo folhetinesco de um amor sussurrado e de uma paixão temerária dignos de Eça — e, até aqui, indignos de nós.

Quando um amigo meu nascido em Oliveira, a cidade do crime, comentou, certo dia: "E o padre Beirão, hein?", nós dois rimos. Eu já sabia do pecado. Foi um privilégio ver encarapitada na banalidade de minha árvore genealógica tão flamejante tramoia de Vênus e de Eros.

Só lamentei, e ainda lamento, não haver tido ocasião de celebrar a ousadia do amor proibido com aquela minha avó magricela e de pulmões frágeis, distraída em afazeres domésticos, num crochê delicado ou na leitura pachorrenta de jornais que iam se empoeirando num canto do quarto, pilha enorme, impossível de ser vencida. Às vezes, a leitura atrasada arrancava de vovó um grito consternado:

— Ai, não, Vicente Celestino morreu!

E ela quase caía em prantos.

— Faz mais de um ano, vó — esclarecia algum neto intrometido.

Eu teria, ao saber da sua história, envolvido vovó num abraço de admiração intensa? Ou a timidez ditada por tantos anos de tabu me impediria uma manifestação tão extrovertida? Na verdade, olhando para trás, dá para ver que minha avó — a corajosa mulher do padre — não se restringia a cumprir o papel matriarcal que ela tão bem desempenhava, aí sim, em relação ao seu filhinho homem, meu pai, o qual, à sombra dela, nunca amadureceu.

Não, não cabe na moldura clássica da figura domesticada, minha avó Esméria. Fechou-se em luto após a morte do marido, como rezava a tradição lusitana, mas seus vestidos foram se livrando, se é que algum dia a tiveram, da aparência sinistra de negras mortalhas; eles até tinham sua graça, o que reforçava a coquete que na época eu não conseguia ver naquela que, afinal, era minha avó. Sobreviveu a meu avô por dezoito anos.

Era também inveterada tagarela, sua figurinha se iluminava toda à luz de uma boa conversa, brindava as visitas com o brilho castiço de uma linguagem que ela tentava incutir, dia e noite, nos netos, corrigindo-nos em nossas barbaridades vernaculares. Ao timbre de soprano, capaz de polir as palavras, juntavam-se o "tu" do tratamento coloquial, ainda que não muito comum naquelas plagas das Gerais, e um vocabulário de muita riqueza, ao qual podia se agregar, ora e vez, uma e outra herança do convívio português.

Pior do que a submissão ao permanente corretor gramatical da vovó era a chatice épica do leite, que ela queria nos obrigar a tomar. Tenho até hoje problema com o leite. Meu problema, vocês compreenderão, é que eu tinha de decidir: ou o leite ou o futebol. E, quando você tem oito, nove anos, nem dá para pensar duas vezes. Eu me esfolava todo atrás de uma sofrida bola de couro, tão logo chegava em casa de volta de minhas classes matinais. A rua Ramalhete, apesar do terno nome, era de terra vermelha áspera, desespero das lavadeiras, rua sem saída, e assim, protegidos de um trânsito inexistente, ali ficávamos nós, horas a fio, no exercício do gol (raro) e das caneladas (muitas).

Quer dizer: ficávamos, não — de repente, minha avó assomava na varanda lá de casa, de onde desfrutava de vista total para nossa improvisada cancha de jogo, de forma que eu não tinha a menor chance de acobertamento, e imperialmente me convocava, com aquela autoridade que rimava com idade: "Já pra casa, hora do lanche".

Era uma fanática dos ritos alimentícios, mas custei a perceber que, ao me convocar com ênfase incontornável, ela estava era legitimando a sua própria rotina — aliás, legitimando aquele surpreendente apetite abrigado em corpo tão franzino e delicado. Devia haver algum encanto nos movimentos sincopados que minha avó executava à frente de sua xícara prodigiosa, molhando nacos de pão no vasilhame, encharcando-os de leite e levando-os à boca com o olhar beatífico de quem saboreava uma deliciosa rabanada natalina.

A palavra obrigatória

Cadeirante. Eu sou. Mas estranho. No táxi especial que me levou ao estádio de futebol, a palavra serviu de abracadabra. O motorista ia repetindo: "Cadeirante, cadeirante", e alguma facilidade se apresentava. A gentileza é irmã da piedade. (Corta essa frase: não quero esmiuçar com profundezas epistemológicas o afeto e o respeito que me chegam.) Mas cadeirante é ainda cruel, é como se fosse uma condição permanente, e como se meu artefato agora motorizado fizesse parte de minha anatomia.

Minha analista deteve-se quando eu disse: "Cadeirante". Vício da lacaniana que ela nem sequer é, esse apreço repentino por uma palavra que emite, faiscante de surpresa, algum sentido ambíguo. "Você é um cadeirante?", perguntou. Não sou, mas estou, poderia ter respondido. Ou: sou mas ainda estranho. Apenas balbuciei um resmungo.

Cadeirante é a senha socialmente reconhecível. A palavra obrigatória. Palavras desenham a minha constelação particular — assim como na vida do meu avô bom de púlpito. São minhas estrelas. Eu busco palavras, sonho com elas. É do ofício e às vezes elas me acordam, em obsessão insone, na tentativa inútil de se encadear em frases que, ali, parecem fazer sentido mas que esqueço tão logo abro os olhos de manhã. Fica sempre o sentimento de, na neblina do sono, ter perdido uma sentença genial.

Adoçam e ferem, as palavras. Já foram mais contundentes. Elas têm sido policiadas e eu não reclamo. Chamam ao policiamento "politicamente correto". É a fórmula para criticá-lo. Mas é o único jeito de evitar que as palavras se convertam em punhais a serviço do racismo, do preconceito, do machismo, da homofobia, da intolerância.

Cadeirante, vá lá. Antes da couraça do eufemismo talvez me chamassem inválido, ainda que o termo remeta a guerras, passadas e presentes, e a lugares reservados no metrô de Paris e nos ônibus municipais. "Inválido" decreta uma condição sem volta, assim como "paralítico", se bem que neste caso a gente se remeta, nas Sagradas Escrituras, a alguém à espera da bênção curadora de algum profeta. Na Bíblia, paralítico tem sempre uma chance de sair andando, alegremente.

Digo às vezes que estou estropiado, todavia um adjetivo não dá conta de uma condição substantiva; aliás, bem a propósito, "condição" é igualmente a expressão que amacia o que ela de fato devia dizer: doença. Meu corpo está em frangalhos. A etimologia que me desculpe, mas "frangalhos" devia estar circunscrito ao universo da culinária.

Lesado, carcomido, estragado, *handicapé*, deficiente. "Deficiente" é socialmente aceito. Oferece privilégios em estacionamento que raramente são respeitados, assim como no transporte coletivo, em assentos nos quais a garotada se aboleta para ficar se sacudindo, com o fone de ouvido, numa viagem interior.

Já "aleijado" é como uma seta que crava fundo. Foi, no entanto, assim que ao longo dos séculos o percurso do ser humano discriminou as agruras dos fisicamente incapazes. De um Aleijadinho sei eu, na memória silenciosa do Barroco mineiro, um gênio que se embuçava no negror da noite para entrar e sair das igrejas em cujos altares, fachadas e imagens imprimia a excelência de sua escultura.

Padecia de sífilis, o Aleijadinho, ela é que lhe tinha deformado pés e mãos — estas, porém, mantiveram suficiente destreza para recortar pedra e madeira usando o cinzel amarrado ao pulso com tiras de couro. Depois que me foi apresentada a punição severa da moléstia degenerativa, o neurologista ainda quis apostar num diagnóstico mais consistente. Uma agulha quase imperceptível varou minha espinha para retirar a amostra de um fluido incolor chamado liquor. Devidamente analisado, o fluido poderia me oferecer um alívio. O de ser sifilítico, por exemplo. Seria uma notícia maravilhosa.

Eufemismos são feitos para adocicar. Ouvi "a sua condição". A minha condição. A palavra não me tapeia; apenas remete a "condicional", o tempo verbal que me define, que eu mais declinei em minha vida, na ambiguidade de suas evasivas.

"É a coluna?" "O joelho?" Às perguntas sucede de o interlocutor nem sequer almejar resposta; ele ou ela, à guisa de consolo, passa a enumerar para mim o inventário de suas próprias desgraças. O que me faculta o privilégio de um silêncio seletivo. Fico menos evasivo quando sinto que do outro lado abre-se a pétala de uma real empatia.

— Mas até quando esse calvário? — alguém se angustia.

— Deus é quem sabe — respondo. E não sinto na voz deste ateu aqui nem um pingo de sarcasmo.

No restaurante, uma senhora que pacientemente esperava que eu terminasse minha baliza arriscou: "Acidente?". Nem tive tempo de tomar fôlego, ela continuou: "Só pode ter sido, a cara 'tá ótima". Adotei a palavra. Acidente — de alguma forma tudo cai nessa categoria. Gostei: acidente. Acidentado. Uma ocorrência externa a mim mesmo pela qual não tenho culpa alguma. Meu léxico foi revisto para o estágio atual de vida. Dificuldades, limites, limitações, sempre na fatalidade do plural, ganham certa proeminência. Eu pessoalmente tenho muita simpatia por "enguiço". Sugere um desacerto de maquinário. Um amigo carinhosamente desconcertado ao me ver mas já bastante inteirado pelo Google da exceção estatística de meu desarranjo disse: "Você foi sorteado". É um jeito simpático de ver as coisas.

Brinco e sofro com as palavras, elas me distraem, de qualquer jeito, dos, vamos lá, meus limites, minhas dificuldades, meu enguiço, minha sina, minha sorte, minha ambígua fortuna. Mas tem hora que nem elas são suficientes para disfarçar a raiva que vem quando vejo, por exemplo, alguém tratar o cadeirante com desrespeito e molecagem. Foi o que fez um breve prefeito de São Paulo. Deixou de lado aquele cashmere invariavelmente enlaçado no ombro e passeou uma cadeira de rodas por cinquenta metros, para avaliar, com as câmeras ligadas, as condições de acessibilidade da metrópole. Cinquenta metros, se tanto.

Surpreendo-me, mas fico feliz, ao perceber minha raiva. Passei a vida em baixa voltagem. Raramente dei choque. Lendo e relendo o que escrevo aqui, tive medo de estar enfileirando palavras num mormaço burocrático, em desrespeito aos solavancos daquilo que elas pretendem descrever: ou seja, o escoar da vida e o beijo da morte. Palavras distraem a humilhação. Além de som, cheiro, cor, respiração, têm temperatura. Em certos casos, palavras podem até ter relevo e profundidade. Guimarães Rosa as fez tridimensionais.

Últimas palavras

E cheguei aos sessenta e nove, com direito às piadinhas inevitáveis. Sessenta e nove anos, "depois de viver um século". Sessenta e nove, como aqueles que o vovô Beirão tinha ao se despedir da vida. À medida que fico aqui escarafunchando memórias diáfanas de um passado que, junto à minha avó, ele protagoniza, é compreensível que o número — sessenta e nove — tenha adquirido, na voragem atual da vida, a minha, uma repercussão tóxica, uma sensação radioativa. Estarei eu destinado a buscar no meu avô essa coincidência fatal?

Está de bom tamanho, penso. Está? Ou trapaceio a mim mesmo com o consolo enganoso das quase sete décadas vividas com razoável intensidade? Meu pai teve de ultrapassar os oitenta para começar a admitir: "Quando eu morrer...". Chegou aos oitenta e cinco e foi-se com a bênção de uma infecção que parecia banal, tão banal que lhe poupou a percepção do pior. Até o fim pilotou seu sofrido veículo com a ousadia e a imprudência que causavam arrepios em todos nós — e nos transeuntes. Um dia, ralhei com ele: "Sei que seu projeto de morte é um belo desastre de automóvel. O problema é que vai acabar levando algum inocente com você".

Sempre me pareceu que as pessoas — e não só meu pai — têm um projeto de morte; a fantasia, ou mais épica ou mais serena, ou acidental ou prolongada, de como se dará o adeus. O meu projeto não tem a ver com a morte que eu vou ter. Pensamentos mórbidos não me acanham. Não haveria um Schopenhauer nem um Poe se eles não os tivessem. Confesso que compartilhei com um amigo distante a obsessão infantil pelas *derniers mots*. Aquelas frases, ou meras palavras, que os sábios, os grandes pensadores, os poetas, até mesmo as celebridades do show biz deixam tombar dos lábios já frouxos no limiar do túnel de luz que, dizem, conduz à eternidade; a tempo, porém, de assegurar o definitivo passaporte para alguma perenidade terrena.

Ficamos excitadíssimos, meu amigo e eu, com o "Fiat lux" de Goethe, ou será de Kant? — já não consigo afirmar. "Faça-se a luz", teria dito um ou o outro, ao pressentir a escuridão metafísica que se abatia sobre seu leito de morte. Frase de gênio, seja ele quem quer que tenha sido. Lamento que Fiat Lux tenha virado marca popular de fósforos no Brasil.

Na era pré-Google, é bom lembrar, era penosa a garimpagem das últimas palavras. O dicionário de citações do papai — ele o usava para rechear os discursos que periodicamente fazia nos círculos do comércio e da indústria — oferecia certa recompensa, assim como as páginas cor-de-rosa inseridas no meio do (meu) Petit Larousse, com frases célebres e provérbios latinos.

A gente as recolhia a esmo, sem coerência e com o único objetivo de se inspirar para quando chegasse a escura hora. Acho que desisti de seguir adiante no dia em que deparei com o que disse o poeta T. S. Eliot ao pressentir, em solavancos de enfisema pulmonar, o sufocamento do fim: "No meu começo está meu fim. No meu fim está meu começo". E fecham-se as cortinas. Não dava mais para competir em originalidade.

Das *derniers mots* às lápides de cemitério havia um, por assim dizer, desdobramento natural — se é que se pode conferir à morte o atributo "natural". Lápides podem consignar desde louvores íntimos a arremedos de sonetos, enunciados heroicos ou o recato silencioso de um crucifixo. Dizem que a morte democratiza os homens. Desconfio que sim: na percepção bem generosa de que todos os que estão ali sob sete palmos foram, a julgar pelo que apregoam a família e os amigos, pessoas de bem, de moral ilibada.

Do Père-Lachaise, em Paris, onde descansam, dentro do possível, Edith Piaf, Oscar Wilde e Jim Morrison, eu virei habitué. Não me entendam mal. Defrontei-me um dia com uma notinha cadavérica no *Pariscope*, o agora finado semanário que nos encantava desde os anos 1960 com a riqueza do entretenimento parisiense. Um pé de página anunciando uma visita guiada através do mais estrelado cemitério da cidade tendo como tema "Assassinos e assassinatos" e como cicerone um certo Monsieur Beyern. Gostei: nem todo mundo que ganha os louvores póstumos, como os assassinos, realmente os merece.

Juntei-me no sábado de manhã a um grupo de uns quinze curiosos de idade incompatível com o terreno em que pisavam. Garotada saudável, de tez rosada e sotaque canadense, na surpreendente antessala a céu aberto onde

M. Beyern iria dissertar, ao longo das alamedas mortuárias, sobre a saga de vítimas e algozes, delinquentes e incautos. M. Beyern cobra dez euros per capita — e muda de assunto a cada fim de semana. À guisa de comprovante, estica um papelzinho, impresso num provável mimeógrafo, com seu nome e função: *nécrosophe*. Arvora-se, portanto, em pensador das coisas funéreas. Carrega uma pasta preta que deve ter sido contemporânea de Napoleão III e dela retira, de vez em quando, recortes de jornais e revistas que o tempo desfaleceu. Tudo recende a putrefação.

Tive mais interesse em perscrutar as mutações fisionômicas do nosso guia, em sua peregrinação mortuária, do que em acompanhar sua narrativa, por mais atraentes e surpreendentes que fossem os relatos. É que, intrigado com a palidez radical de M. Beyern, seu rosto encovado, a voz de catacumba, as mãos crispadas, desandei a imaginar que ele era um morador do local e que só deixava seu sarcófago para nos recepcionar aos sábados festivos.

Apesar dos arrepios que me dava a aproximação da tal criatura, tive uma súbita ideia a me reconfortar. Arquitetei um romance policial em que, no anunciado dia de romaria macabra, o guia não se apresenta no trabalho, como de praxe, para reaparecer na madrugada seguinte despejado numa cova constrangedoramente rasa, vizinha da que abriga uma cafetina viciada em absinto, o cadáver robusto crivado de sinais enigmáticos que o detetive com traços de Hercule Poirot identifica, de imediato, como caracteres rúnicos. A extremidade pontiaguda de uma cruz celta vaza o coração de Beyern. Morte que sugere um aviso de vingança. Da Terra ou do além?

Foi um dos muitos livros que não escrevi. O mapa do Père-Lachaise, no qual iria basear minha trajetória de candidato a Ruth Rendell, repousa aqui a meu lado. Monsieur Beyern ainda vive — se é que dá para afirmar tal coisa. O *plot* está disponível, inclusive para efeito de *movie rights*. Não reivindico crédito nem percentagem.

Ampulheta e cotonetes

Tenho colhido, em visitas frequentes, o carinho de amigos e amigas que às vezes nem julgava tão próximos de mim. Em geral, para me poupar, chegam com algum pretexto que não convence, na tentativa frouxa de dissimular a inquietação solidária que trazem consigo. Teve aquele que veio me pedir ajuda para elaborar perguntas que faria ao prefeito. Teve outro que, com sua mulher guerreira, veio exibir nas minhas panelas suas aptidões no Risotto al Mare. Teve a amiga que hoje mora em Miami que se demorou no tema arte contemporânea quando o que ela verdadeiramente queria — com sua delicadeza de nobre estirpe — era postular o livro da Vai-Vai que começamos a escrever há quase uma década. Já a feiticeira do bem não apareceu, mas mandou estoques generosos de seus xaropes curativos.

E teve o meu sobrinho Bernardo, com a Camila e o Guilherme — menos de um ano, o Guigó, em sonolência bonachona, amarradinho no colo do pai à moda dos mapuches do Altiplano. Vieram acertar o visto no consulado americano. Bernardo e sua prole — tem também a Alice e o Dudu — estão de mudança para os Estados Unidos. Bernardo me emociona. É filho do Paulo. Paulo me emociona. É meu único irmão homem. Um ano mais novo do que eu, sempre foi muito mais esperto. Desconfiou da história da cegonha bem antes de mim. Sabia se esquivar das roubadas que as circunstâncias familiares nos impunham: visitas chatas, aulas de acordeão, ajudar a missa nos Dominicanos, jogar futebol no time do frei Martinho, fazer discurso em Dia das Mães e Dia dos Pais. Ele e a Mirtes criaram uma bela família. A Marina, a outra filha, mora na mais linda cidade da face da Terra: Ouro Preto. Tem dois filhos já adultos. Sinto ali o enraizamento emocional alicerçar um ideal que foi se perdendo, laços dos quais fugi, com rabugice narcisista, e cuja importância percebo agora.

Por muito tempo a gente brincou com o Bernardo que ele seria o responsável por manter, aos moldes da Casa de Windsor, o nome dinástico dos Beirão. Filho varão de filho varão (eu passei batido nesse requisito). Ele cumpriu; já são dois os herdeiros homens.

Olho para o Guigó, brinco com ele e, no sorriso que me abre, juro que me abre, sem sequer me conhecer, aproveito o instante incandescente de vida.

São recortes delicados de cotidiano que me consolam, que me convidam a descortinar o que resta do mundo, tiram o espartilho que me comprime a alma — a mim que, no entanto, perdi o medo. Quase todos, com certeza. Inclusive aquele que é tido como o mais sombrio e definitivo de todos os pavores.

Mas então me vem à cabeça o pote de cotonetes. Eu o

comprei meses atrás — um pote de cotonetes de embalagem simpática. Jamais imaginei que aquilo se converteria no objeto improvável de minha pior assombração. Passei a cogitar quem iria mais longe: o pote de cotonetes ou eu. O País da Doença, eu já disse, tem seu próprio tempo, em oscilações de urgência e em surtos de pasmaceira, típicos de uma atitude ambígua que balança, de um minuto para outro, entre a sofreguidão e a resignação. De todo jeito, o tempo da doença obceca. E, como se vê, alucina.

Transferi meu futuro para umas inocentes hastes de plástico coroadas de algodão, com funções substitutas de uma ampulheta, e no final do estoque estaria igualmente selada minha provisão de vida aqui no planeta. De qualquer modo, continuamos em atividade: o pote de cotonetes e eu. Arriscado dizer até quando.

Enquanto isso, vou me aperfeiçoando na arte de fitar o infinito. É uma lassidão vazia de conteúdo como uma abstração minimalista, que nem sequer busca no horizonte algum significado, alguma informação, algum esclarecimento. É um olhar que não enxerga. Suspenso fica também o tempo, invenção do homem. O acúmulo de silêncios, lacunas, esquecimentos sugere artifícios de ficção, mas ficção não é, pois a realidade a suplanta.

A propósito de realidade: numa queda dentro de casa, em confiança meio abusada no andador novo, estágio posterior à bengala e, já suspeitava, anterior à cadeira de rodas, o zelador teve de ajudar a erguer-me. Tinha acabado de tomar banho. Menos mau que só estivesse nu da cintura para cima.

Na queda, derrubei da pia o pote de cotonetes. Perdi a macabra referência.

Presidente Bossa-Nova

Português de berço — e ele sabia —, meu pai se fazia passar por português de incumbência. Aquela repetida história de que, no leito de morte, vovô teria lhe recomendado abrigar com muito afeto e algum dinheiro, se possível, a portuguesada desgarrada e desassistida. Vovó sempre mencionava isso. Papai cumpria à risca.

Tinha até momentos em que parecia desfrutar o encargo, especialmente quando jogava a Seleção Portuguesa. Nada que se comparasse aos destemperos das partidas do Galo, papai, que eu me lembre, nunca se paramentou de verde e vermelho, mas desconfio que não tenha ficado de todo abismado, na Copa de 1966, na Inglaterra, quando Eusébio e parceiros nos enfiaram um contundente 3 a 1 e nos mandaram mais cedo para casa, com Pelé, Garrincha e tudo.

O Elos Clube se tornou uma referência entusiasmada na vida do meu pai. Recém-criado por figuras abastadas da colônia, prosperou, não por acaso, no Rio e em Santos.

Papai tomou para si a missão de implantá-lo em Belo Horizonte.

Juscelino Kubitschek tinha acabado de deixar o poder, em 1961, à sombra de uma popularidade que nem mesmo seu sucessor, o estabanado Jânio Quadros, conseguia empanar. Muito dessa estima se propagava em sotaques do Minho, de Lisboa e do Alentejo, enternecidos pelas sucessivas manifestações com que JK brindara a pátria lusa. Basta lembrar que o primeiro dignitário estrangeiro a visitar Brasília foi o marechal Craveiro Lopes, quando a futura Capital Federal aspirava o pó vermelho de um febril canteiro de obras. O presidente de Portugal ficou instalado, hóspede de Juscelino, no Catetinho, um casebre de madeira tão distante do que viriam a ser os suntuosos palácios de Niemeyer. Para compensar, JK encomendou céu de estrelas e o violão de Dilermando Reis.

Para o que seria a apresentação cerimonial do Elos Clube em Lisboa, os brasileiros decidiram convidar o ex-presidente. Meu pai, como já disse, era um sectário da UDN. Mas tinha seu álibi: fora aluno da Faculdade de Direito da Federal nos anos finais da ditadura Vargas, e se orgulhava das refregas pela redemocratização, os protestos de rua, a carga da cavalaria, as lambadas de sabre. Na época, Juscelino era prefeito de Belo Horizonte, nomeado pelo interventor.

De Lisboa, papai esticou até a Itália, de onde trouxe uma minipistola Beretta, que mamãe tratou de esconder para sempre e da qual, ainda bem, nunca se ouviria um único tiro. Trouxe também o Scandalli de madrepérola que, depois de ser penosamente desembaraçado da Alfândega, andou de mão em mão, de colo em colo, até o definitivo esquecimento. A professora Terezinha, de miúdo encanto, bem que tentou, e a Ledinha avançou um pouco mais do que eu.

Eu gostava daquilo, dentro da escala do que é gostar para um pré-adolescente blasé. Cheguei a solar *Oh, Susannah!* e cantigas japonesas clássicas. Até me dei bem no acompanhamento do baião, na mão esquerda. Passei vexame quando a mãe da Ana Lúcia, meu amor de adolescência, pediu-me que tocasse em frente à amada. Fiquei tão desconfortado, num acordeão maior do que o meu, que padeci minutos e minutos de suor frio, repetindo os compassos na vã esperança de lembrar o final da música. Quando decretei o último acorde, estava sozinho na sala.

Pena que não tenha insistido, ainda assim. No caso, não seria a última vez que, mesmo gostando, eu desisti. Hoje me pergunto se não teria sido diferente se tivesse me chegado aos ouvidos, emergindo do abismo do tabu, a crônica de ousadia e de tenacidade que um dia, lá no passado, unira um padre e uma moça. Eles não eram de desistir, meu avô e minha avó.

Sonhos, sonhos são

A noite me enche de palavras — aquelas que o dia, pouco a pouco, me faz perder. As palavras, nos sonhos, me surgem inteiras, em sua acepção gráfica, e em barafunda que sugere quebra-cabeças. Nada de novo: quantas vezes a vigília noturna não me ditou soluções para impasses de escrita? Quantas vezes frases completas não vieram me socorrer, em meio ao torpor da madrugada, quando sujeito e predicado se desentendiam nas lidas aflitas da redação? Até nos sonhos mais escalafobéticos sou melhor do que eu mesmo. Falo as línguas com um destemor escorreito, em fluência de cidadão nativo. Inclusive o sofrido alemão desabrocha. O que me consola e me entristece. No confronto com a, me perdoem, excelência verbal de meu espaço íntimo, escuro, socialmente fictício, apresenta-se a criatura real que vai perdendo o dom da oralidade, vacilante na locução, cautelosa ao enveredar por frases que vão além de duas míseras linhas. A língua pesa duas toneladas, produzindo a entonação pastosa de bêbados. E imaginar que um ano atrás eu era capaz de encadear raciocínios longuíssimos em comentários ao vivo na TV, saltando alegremente os obstáculos de sobrenomes ucranianos e da topografia chinesa.

Acovardado pela mão que virou garra e pela outra que, sobrecarregada, emite alertas, vou desconversando também as palavras escritas. Estas páginas, elas próprias, andaram mudas por algum tempo, e só são sacudidas, agora, por uma reflexão autorreferente, porque passei a ter urgência em encerrar este ciclo. Um escritor de suculentas obras me aconselhou: "Livro tem de repousar". Mas acabou a moleza: o ponto-final está me aguardando, com ansiedade justificada.

É a mais fatal de minhas perdas, pior até que a capacidade de amar. Ao entrar na adolescência, tempos de transtorno, vesti um figurino de circunspecção arquitetada, o jeitão calado de quem — sei hoje, é um caso clássico — não tem nada a dizer, ou não tem coragem de dizer, fazendo do silêncio uma falsa muralha de sabedoria que os interlocutores não conseguem desmascarar, ao menos por um momento. Político de Minas, então, é mestre no disfarce das evasivas vazias.

No entanto, as palavras iriam se converter no meu ofício, meu ganha-pão, minha obsessão. Agora me abandonam. Descobri um dia desses uma frase atribuída a Fernando Pessoa, entre as muitas que desconfio ele não terá dito, jamais terá escrito: "Escrever é esquecer". Se de Pessoa é, deveria estar embrulhada em algum contexto. Eu escrevo para lembrar. Até admito — como pode ter querido o poeta — que, uma vez consignada a lembrança, o resultado possa ir diretamente para a lixeira das pretensões vadias. Pode ser: escrever é lembrar e, logo depois, esquecer.

140

Junto com as palavras que se encadeiam harmoniosamente, o País do Sonho me alivia trazendo imagens que, estas sim em incoerência clamorosa, escarafuncham no passado o consolo para o presente. É o contraponto generoso ao País da Doença. Parece cenografia em tecnicolor de Hollywood, com árvores descabeladas e veredas vazias. Minha mãe comparece, meu pai, meu irmão, minhas irmãs, todas as cinco. Somos, inclusive o eu do sonho, aquinhoados com uns quarenta anos a menos. O primeiro livro de Freud que eu busquei, com curiosidade equivocada, foi *A interpretação dos sonhos*. Busquei-o como quem busca uma cartilha. Para decifrar um sonho confuso, bastaria compulsar as páginas do livro e elas apresentariam a você, com notável didatismo, a chave do enigma. Simples assim, como no jogo do bicho. Naturalmente não funcionou.

Temo que meu percurso noite adentro vá suprimindo os ternos encontros familiares e se torne mais convulsionado, assoberbado agora por estranhos metassonhos. Sonhos em que se revela a natureza do próprio sonho. Sonhos em que me vejo alegremente caminhando com as minhas próprias pernas até que, de repente, travo e duvido: "Não pode ser verdade". Cheguei a cair da bicicleta.

Tenho medo. A novidade é esta: já não sonho só com o que fui, mas trouxe para minhas noites a verdade do que sou.

O derradeiro labirinto

A francesa Anne Bert atravessou a fronteira e foi se matar na Bélgica. Serenamente, sem estardalhaço, como deviam ser todas as mortes — as autodecretadas, com certeza. Contou com assistência médica, num hospital, direito que a França nega mas a Bélgica oferece aos doentes sem esperança. O noticiário, em sua urdidura áspera, crava palavras duras: "eutanásia", para o ato, "ELA", para a doença. Vocês já ouviram falar aqui — ELA é minha companheira.

É escritora, Anne Bert — era. Seu último livro, *Le Tout Dernier Été*, deixou para ser publicado dois dias após sua morte, preservando-a de ter de responder às emoções doloridas e solidárias que a leitura desencadearia — e que de fato desencadeou. Àquela altura as cinzas de Anne Bert já se misturavam às espumas do Atlântico que vão beijar a costa bordelesa vizinha a Saintes, a cidadezinha onde a escritora morava.

A foto do necrológio sugere uma mulher bonita, mais jovem do que seus declarados cinquenta e nove anos, mas os olhos enganam numa falsa melancolia; dá para perceber que é como se eles já tivessem tomado distância das coisas. Sensação que Anne registrou com clareza radical: "Ao contrário das primeiras vezes, as últimas não me transmitem mais do que uma sensação doce e quente, quase triste. Eu gosto de abrir muito os olhos, respirar todo o ar que caiba em meus pulmões, concentrar-me no momento, absorver a beleza do mundo e das coisas. Sem dúvida minhas últimas vezes têm o aroma da incredulidade. Não tenho mais do que perguntas sem resposta".

"O aroma da incredulidade" — como invejei dela a expressão tão suavemente crua. Mas me distraí em idiotices da tecnicalidade. Como será que escrevia a moça? Ditava? Ou os dedos ainda tinham o poder de deslizar sem tropeços pelo teclado ardiloso? As garras ossificadas venciam os interstícios das letras? Quanto tempo levou ela para concluir a tarefa?

Morte assistida é eufemismo delicado. Eutanásia, por sua vez, preserva o odor de assepsia de um procedimento clínico. Mas no limite triunfa a noção punitiva, de viés religioso, da palavra "suicídio". Pelos cânones da fé, tirar a própria vida — seja em que circunstância for — é ato vil, e o perpetrador, um exibicionista desprezível, narcisista inconsciente.

Prefiro pensar como Camus: "Só há um problema filosófico verdadeiramente sério: é o suicídio. Julgar se a vida merece ou não ser vivida é responder a uma questão fundamental de filosofia". Albert Camus, coitado, morreu num desastre de automóvel.

A ansiedade da sina degenerativa me faz pensar na minha — perdoem a insolência — posteridade. Afinal, depois de passar esse tempo todo por aqui, que legado — *argh*, de novo — terei deixado? Por isso, talvez, é que eu percorra com os olhos da curiosidade os necrológios engraçadinhos que a *Folha de S.Paulo* publica, à moda daqueles do *New York Times*. Digo "engraçadinhos", mas o faço com carinho, ao perceber que o Willian Vieira, de vez em quando, por lá terça suas bem traçadas linhas. Está ali, na página dos mortos, a melhor caligrafia do jornal.

A morte é hoje o tema de minha vida, a minha, mas não só ela: eu presto tremenda atenção na morte dos outros. E o tema alfineta fundo o meu peito quando, como agora, me chega a notícia de que morreu a Sílvia Monteiro. Há um par de anos ela vinha brigando contra o cruel caranguejo, eu sabia. A última vez que a vi, num almoço na casa da Vera Souto e do Ricardo Ariani, andava tão enevoado pelas brumas de minha própria angústia que nem entendi os sinais de que poderia se tratar do nosso derradeiro encontro.

Eu me enclausurara naquele estágio — ainda me encontro nele, por mais que brigue contra isso — de sentir vergonha de meus passinhos trôpegos e vacilantes, de minha coluna encurvada para a frente como a de um ancião de cartum; de um desconsolo que turva meu humor e minha naturalidade.

Me contam agora que a Sílvia já estava vivendo a resignação sereníssima de quem optara por deixar de recorrer à brutalidade das cirurgias e da quimioterapia, e eu não percebi. Em silêncio, ela dizia isso. Não a ouvi.

Mesmo porque a serenidade da Sílvia, a elegante discrição que ela mantinha no convívio com todos nós e em todas as horas, uma intermitência de momentos sem queixa, sem alarde, faziam dela a última pessoa a reivindicar o protagonismo por uma sofrida agonia.

O câncer espreita a humanidade com obsessão perversa e sistemática — muito mais do que as moléstias neurológicas, que são, estatisticamente, uma loteria. Não dá para comparar uma coisa com a outra, num campeonatinho de adversidades, não disponho de conhecimento para tal. Tenho, porém, a impressão de que o câncer vem perdendo, pouco a pouco, a batalha para a ciência. Amigos meus, vários, se curaram. Outros, infelizmente, sucumbiram. Meu avô Beirão perdeu a briga. Sessenta anos atrás, câncer era um decreto de morte.

Desconfio que o câncer, em algum estágio, produza dor. A dor física é uma reação orgânica — se é que isso serve de consolo. A dor mostra que se está vivo. Todavia, não recomendo a fé dos estoicos. Eu não sinto quase dor além de um desconforto de joelhos esmagados nas reviravoltas noturnas e de um ombro que os músculos começam a abandonar. Meu fantasma não é a dor, mas o vazio da insensibilidade.

Em vigília sem sono, comecei a refletir acerca da dor externa e a duvidar de sua primazia contundente sobre a dor interna. Terá meu avô sofrido mais a dor do câncer ou a dor da culpa? O assunto fez desabrochar, como uma menção extemporânea, numa dessas trapaças inexplicáveis da cabeça, o nome de Elias Canetti. O inconsciente enfileirou Bulgária-judeu-perseguição-exílio. E a Europa doída cuja fala foi roubada pelos nazistas.

Achei quatro de seus livros, não sem antes lançar por terra e atropelar com as rodas de minha cadeira de Cyborg uma gravura autografada do León Ferrari. É a segunda vez que tento impiedosamente estilhaçá-la. Mas o que terá Canetti, Nobel de Literatura, a ver com a dor física? A literatura talvez seja sempre dolorida. Às vezes — pensem em Kafka, em Hemingway, em Cheever, em Fitzgerald, em Virginia Woolf — o suicídio provisoriamente adiado. As palavras distraem o desfecho — a dor que mói corpo e alma. Escarafunchei Canetti e não achei nenhuma teoria da dor. Endereço errado. Melhor teria sido enveredar pelos fiordes enregelados de um Schopenhauer ou de um Kierkegaard. Canetti, contudo, me brindou com essa sensação reiterada de quanto a escrita pode acalmar — e domar — o ser humano. "A frase é sempre uma outra coisa, diferente do que a escreve. Ela surge como algo estranho diante dele, como uma muralha repentinamente sólida por sobre a qual não se pode saltar." Novas muralhas assomam para serem contornadas. Até que "aos poucos surge um labirinto, no qual o construtor ainda, mas com dificuldade, se reconhece. Ele se acalma em meio a seu dédalo".

Escrever é percorrer um labirinto. Gostei disso.

Tom maior

Família exige uma intensidade que eu não tinha, ou não queria ter, ou fingia não ter, ou tinha mas não sabia que tinha. À medida que eu crescia, o desconforto aumentava. Era o primeiro de um alvoroço de sete filhos. Meu pai, só ele, seria capaz de suprir a polifonia da *Oitava* de Mahler, com o coro de trezentas e cinquenta vozes incluído. Era um escândalo de alaridos físicos e emocionais. Usava a buzina de seu carro com uma sem-cerimônia alarmante. Os vizinhos, em vez de protestar, se divertiam com aquele abuso pueril.

Papai nunca cresceu, como já disse. O único filho varão dos Miranda Beirão era o queridinho da mãe. Vovó protegia o apetite dele escondendo da criançada voraz os pudins, o doce de leite, as rabanadas. Papai buscava para si uma atenção obsessiva, que no entanto se calava quando minha mãe intervinha, com uma delicadeza quase silenciosa mas sempre categórica. Não sei de onde tirei a ideia de comparar meu pai ao violino e minha mãe ao oboé. O violino, na orquestra, se descabela num destempero de notas e acordes; o oboé é um instrumento reservado, de longas pausas, mas é ele que dá o tom. Mamãe gostou da comparação.

Ao entusiasmo do papai se juntou, em confluência tóxica, a ingenuidade crônica de quem confia no ser humano. Em todos eles, até prova em contrário. A gente ria ao vê-lo incluir candidamente na categoria "ele é meu amigo", além daqueles que de fato o eram, um rol interminável de aproveitadores desprezíveis e camaradas desclassificados. No seu velório, estavam todos lá — uma multidão. Eu me reconciliei com a ideia de que eles também viam papai como o amigo que ele acreditava ter neles. À beira do túmulo, preenchendo o vazio que o primogênito deixou, incapaz que fui de dizer meia dúzia de palavras com medo de que ficassem entaladas na garganta, um idiota fez o elogio do papai. Dizia-se grande amigo. Não tinha a menor noção de quem meu pai havia sido. Talvez amizades prescindam de conhecimento.

Meu pai viveu mais de sete décadas em Belo Horizonte, foi um personagem da urbe que deixava o rastro de sua índole exuberante, risonha, falastrona, por onde quer que passasse — além do ruído do sacolejo de um molho de mil chaves, como se ele fosse o *huissier* das Alterosas. No entanto, jamais contraiu um dos atributos que fazem a mística dos mineiros: a precaução desconfiada. Aquilo que eles próprios chamam de cisma. O entusiasmo do papai não era filtrado por nenhuma dúvida, nenhuma descrença, nenhum receio. Por isso, podia produzir tragédias. Desastres financeiros e desilusões emotivas.

Atravessei a vida adulta brigando contra o risco de me entusiasmar. Por coisas e pessoas. Erigi a contenção como virtude elegante, mas tive minhas escorregadelas. Séculos de divã me fizeram enfim entender que eu nem era meu pai nem seu contraponto. E que também não adiantava copiar a afinação de mamãe. Tinha de criar minha própria harmonia. A psicanálise me ajudou a encarar, depois, sem culpa e sem medo, o tabu do amor proibido de minha avó e meu avô.

A família é uma instituição ambígua. É uma estufa de afetos construída à sua volta para proteger você de forma que você jamais prescinda de proteção. Emancipar-se do papel imposto pela expectativa familiar é a missão da adolescência, a ser cumprida não sem o incômodo da ingratidão. O amor oprime.

Meus temores de garoto, disfarçados na arrogância falsa de quem acreditava ter muito a contribuir para o futuro da condição humana, encontravam na família o contexto ideal para se camuflarem. Eu havia de alçar voos maiores do que os que me acomodavam naquela mediocridade rotineira. Eu, eu, eu... O nome daquilo era: insegurança.

Estava na moda a antipsiquiatria e, embora David Cooper e Ronald Laing não tenham sido avisados, eu me filiei com convicção a essa escola tão anos 1960. Teorias cabeludas buscam acomodar as angústias cotidianas, e os gurus Cooper e Laing pregavam que famílias tendem a ser viveiros de neuroses e de repressão. Sexual, para começo de conversa. Exemplos próximos não faltavam. Um filme meio ficção, meio documentário — o que a gente chamaria hoje de docudrama — expunha a cartilha do dr. Laing, com a agravante de que a atriz principal era a cara da Ledinha, minha irmã. A antipsiquiatria dava lustro ao meu aplomb de fedelho intelectualizado.

Empáfia e embaraço caminharam de mãos dadas. A mesa dominical que hoje me mói de saudade era uma aporrinhação suprema, primeiro na casa da vovó Áurea e do vovô Celino, pais de mamãe e de uma prole de mais onze — com direito aos desdobramentos demográficos copiosos da geração seguinte. Ninhadas e ninhadas de primos. Os tios promoviam, no regaço da cervejinha, uma balbúrdia de certezas futebolísticas e crenças políticas de onde poderia decolar, subitamente, um "Hitler não foi tão mau assim". Não eram fascistas, e sim conservadores, mas os olhos verdes e os cabelos ruços lhes conferiam a fantasia de serem descendentes dos cavaleiros teutônicos, e não típicos galegos do interior.

Crianças não dispunham na época, obviamente, de tablets ou celulares para distrair o tédio das altercações adultas, mas a casa da vovó Áurea incluía um terreiro grande o suficiente para incentivar nossa energia atlética em correria sem freio, tão grande que serviu de jazigo para os "umbigos" de todos os recém-nascidos da quilométrica família. Devo reconhecer, contudo, que naquele pandemônio dos mais velhos, em especial quando meu pai e o tio Tomé encetavam um dueto, humor havia, e humor faz falta, e humor, eu ainda não sabia, é o melhor tônico para entorpecer as fadigas da maturidade.

Quando a gente cresceu — salvo papai, reitero —, a mesa domingueira se transportou lá para casa. "A MESA", resmungava eu, conferindo à minha birra infantil letras maiúsculas como se eu estivesse refém de uma instituição perversa, castradora, inexpugnável — um asilo, um presídio ou, mais adequadamente aos Beirão, um convento.

Meus irmãos hão de dizer que eu não demonstrava a gravidade que exponho aqui, que nunca perdi uma certa afabilidade. No íntimo, porém, A MESA era a comida farta que me engasgava, almoço comprido, lento, depois um lanchinho de café e roscas (deliciosas, por sinal), eu me sentia asfixiado em minhas ansiedades culturais, inquieto para escapulir até a Cinemateca dos filmes tchecos, japoneses e da nouvelle vague.

O que me sufocava, fui descobrindo penosamente ao longo dos anos, era a incapacidade de me refestelar naquela toca de amor quente, incondicional, que mamãe, papai e meus irmãos ofereciam — e eles, os irmãos, continuam oferecendo, neste meu momento agudo, com um carinho espontâneo, sem o ranço da piedade. Espero ter informado a mamãe e papai que não havia Visconti ou Godard que pudessem me proporcionar tanto prazer quanto a mesa dominical deles, a que frequentei tão esporadicamente — pior para mim — após meu exílio afetivo.

Adolescentes se dão uma importância excessiva. Projetos de adultos, como eu, também. Coincidiu com minha partida de casa uma canção do Caetano que adotei como hino. Diz a letra: "No dia em que eu vim-me embora/ Não teve nada de mais".

Assim me sentia eu, a bordo de uma ousadia medrosa, tendo à frente mares nunca dantes navegados. A vida escoa, contudo, numa naturalidade corriqueira que ofusca todo e qualquer delírio de grandeza, mesmo se você for o rei do Sião ou o marajá de Calicute.

A primeira vez que voltei para casa, num fim de semana corrido no qual pretendi, em vão, checar a fidelidade de uma vaga namorada que tinha deixado para trás, encontrei no meu lugar um vigoroso cão. Era preto, enorme, e circulava — igualzinho a mim — nas proximidades do Paulo. Não sei se chegou a dormir na minha cama. O ciúme me fez esquecer o nome do bicho. Se ainda fosse um poodle delicado, ou uma dessas mimosas raças chinesas, uma criaturinha fofa de nome, digamos, Margot, ou Houdini, eu talvez tivesse sido mais receptivo.

Cresci numa família que tinha pouco apreço pelos segredos, a não ser por um, aquele que pesava nas costas do vovô e da vovó como o flagelo da cruz. O estranho é perceber, ainda hoje, que o temperamento festivo, fogueteiro de meu pai não lhe tenha aliviado o tabu com uma das suas gargalhadas desbandeiradas. Ele foi o único da família que jamais descortinou um só comentário sobre o tema interdito. "Ele não fala disso", acobertava mamãe. Papai foi uma avalanche de palavras, um terremoto, um maremoto. Aquelas, apenas, possivelmente as mais doídas, lhe faltaram.

Uma questão genética

O País da Doença se rege pela fadiga das rotinas longas e inúteis. Hoje, fisioterapia, amanhã também. Outro dia, exercícios respiratórios. Fonoaudióloga. Inalação — o ar seco pode ser cortado com faca. Xarope. Bombinha de asma. À noite, a segunda dose do Riluzol. Dormir com uma máscara de ar. Tive certeza de que não me acostumaria. Capitulei. Um cuidador, dois. A intimidade forçada. Todo o aparato terapêutico vem embrulhado em esperanças quiçá infundadas. Do acompanhamento médico aflora invariavelmente o otimismo da ciência (ou será a ciência do otimismo?).

O neurologista, de volta de um de seus simpósios internacionais, descortina uma novidade esperançosa. A chave é o DNA. Ele disserta sobre o RNA, a cópia do código genético. A medicina tenta trapacear, numa engenhosa burla, a engrenagem defeituosa. Foi o que entendi, vagamente. Não se trata de cura, apenas de estancar a progressão no abismo.

Aceito a ideia de fazer meu sequenciamento genético.

As pessoas que mais amo se animam. Pagam uma fortuna por ele — um carinhoso presente. Demora e, enfim, vem o relatório indecifrável. O neuro ao menos identifica o lugar do enguiço. Podia ter acontecido desde os meus quinze anos. Tive um bônus generoso em sexo, álcool e rock'n'roll.

A medicina acredita em si mesma desde os remotos tempos de Galileu. Conheci médicos cínicos e arrogantes. No entanto, o saber científico que os socorre, a todos, é crédulo e confiante. A ciência caminha ao lado da fé — outro tipo de fé, mas fé, ainda assim. Melhor para quem possui uma e outra.

Antes de ganhar o Nobel de Biologia ou de Medicina, o que certamente ocorrerá, Paulo, meu irmão, se debruça sobre as cifras inescrutáveis do meu sequenciamento genético — aquele inventário que tinha por ambição denunciar o enguiço. Meu irmão foi contemporâneo, na Universidade de Leicester, do cientista Alec Jeffreys, hoje aquinhoado com um Nobel e o direito de ser nomeado Sir. Jeffreys descobriu o *DNA fingerprint*, infalível nos temidos testes de paternidade. Jeffreys ganhou o Nobel que um dia irá premiar o dr. Paulo Sérgio Lacerda Beirão. O primeiro de um brasileiro.

Com tal cabedal, meu irmão esmiuçou o testamento genético e, pronunciando um termo que me escapa, concluiu que a falha pode ter passado de uma geração para outra, sem se manifestar abertamente. "Vai ver que a mamãe tinha", disse o Paulo, como quem me confortasse. O efeito é o avesso: a avaria estava decretada à minha revelia? O fantasma do amor condenado assoma, mas eu o espanto. Vovó e vovô não podem se responsabilizar pela desgraça que — faço questão — é só minha.

É trabalhoso extirpar das informações clínicas e cien-

154

tíficas que me chegam o odor pernicioso da culpa. Quatro anos de educação em colégio católico não passam impunemente. Meu editor me trouxe Dostoiévski de presente. *Notas do subterrâneo*. É gentil, não pretendo fazer uso metafórico. Por coincidência, achei esse livro na esfacelada biblioteca do ginásio dos padres, décadas e décadas atrás. O que estaria Dostoiévski fazendo em meio a manuais de catecismo e vidas de santos?

O colégio tinha seus deliciosos descuidos. Certo domingo, após a missa devota, o auditório exibiu *Jules e Jim*. A surpresa, mais a ousadia de um enredo de traição, dor e suicídio, fez do filme de Truffaut, até hoje, o filme de minha vida. Choro cada vez que o vejo. Choro, quem sabe, menos pela história e mais por aquele garoto a quem o mundo começava a se revelar, em sua crua ferocidade e em suas enigmáticas promessas.

Fanático do Apocalipse

Fez dez anos, pouco mais, que amanheci em Ouro Preto para receber em nome de meu pai, recém-falecido, a Grã-Cruz da Medalha da Inconfidência. O dia, um 21 de abril, estava cinzento, como convém a Ouro Preto, e a alegria do reconhecimento póstumo a meu pai brigava com a tristeza de ele não estar ali presente, com seu humor extravasante, para receber a homenagem que com certeza iria rasgar ainda mais seu sorriso.

Fui o escolhido por meus irmãos pelo fato de ser o primogênito. Eles compareceram, em comitiva, e ficaram lá à distância, enquanto eu desfrutava, com o desconforto de uma injustiça, o privilégio da, digamos, área VIP. Nem cheguei a partilhar com eles o almoço num restaurante local, após o ato. Preferi, idiota que sou, aceitar o convite para o almoço oficial, com as autoridades e os convidados ilustres. Um aborrecimento.

Na hora da cerimônia, me perfilei ao lado do filho de Candido Portinari — ele também estava ali para receber o tributo ao pai. Apreciei o nível da companhia. O governador Aécio Neves tinha traquejo para esses eventos festivos. Seu pai havia sido colega de faculdade do meu, as famílias tiveram bastante proximidade num certo momento da vida. Meu pai adorava o Aécio pai.

Aécio filho me enfiou pelo pescoço a imponente comenda, me abraçou e me chamou de "meu irmão". Aécio chama muita gente de "meu irmão". A foto que me compromete está aqui no meu escritório. Um dia desses, ela escorregou com estardalhaço por trás de minha mesa de trabalho, mas sobreviveu sem maiores traumas. De todo modo, deixei-a por lá, no chão empoeirado. O destino da foto talvez simbolize a trajetória do Aécio nos dez anos que se passaram.

Eu tenho uma medalha da Inconfidência concedida, milênios atrás, pelo então governador Hélio Garcia. A minha é bem mais modesta, no grau de Cavaleiro, dessas de prender na lapela e afixar na botoeira. É, ainda assim, um jeito de eu lembrar que sou da terra de Tiradentes. E que a terra de Tiradentes se lembre de que, apesar de minhas sistemáticas traições, continuo tendo orgulho de minhas raízes mineiras.

Alguém já disse isso: "Você sai de Minas, mas Minas não sai de você". O retrato que dói não está na parede. Está em alguma região esponjosa próxima do diafragma.

E eis que me surpreendo aqui atravessando os vales e as cordilheiras da política. Tinha, até chegar a esta página, relutado em trazer tais divagações para um território que no entanto me é tão vital como o ar que respiro. Mas ando cabisbaixo e, depois que fui involuntariamente dispensado pela tv de uma vez por semana buscar explicar o inexplicável, eu me dispenso de acompanhar uma conjuntura de mediocridade e vulgaridade. Quando o historiador do futuro for escrever sobre este Brasil de fins dos anos 2010, vai desmascarar a anormalidade doentia que hoje nos querem vender como normalidade.

A tv foi uma casualidade que durou seis anos e meio. Um telejornal de mais respeito que audiência. Estive em boa companhia. A proposta inicial era falar de tudo, menos de política. Começou assim, mas no Brasil a política devorou o resto. A emissora é uma das ramagens de um grupo confessional. Nas palestras das quais participei, aflorava a dúvida persistente:

— Você tem liberdade em seus comentários?

— Tenho — respondia eu. Estava sendo sincero.

Às vezes, a suspeita do interlocutor ia adiante:

— E se vierem interferir no seu trabalho?

— Aí, eu me converto — brincava.

Não me deram tempo de me converter. Tenho de continuar ateu — e suavemente de esquerda.

É difícil abstrair tudo o que nos cerca, porém alguma serenidade se impõe, em prol da saúde mental. Serenidade não é nem omissão nem covardia. Não é que eu ande buscando a tutela espiritual de gurus, xamãs ou *maîtres à penser*, mas fui seduzido pela inteligência sensata mas afirmativa de um homem circundado pelas chamas de intolerância mais radical e destrutiva. Acabei de ler um livro de ensaios de Amós Oz. O tema é o fanatismo. Nada mais atual. E o israelense Amós Oz está em posto privilegiado para projetar seu olhar bifocal sobre fanáticos e fanáticos.

"O fanático não tem humor", escreve ele. Em seu corajoso enfrentamento com a direita religiosa que vai convertendo Israel numa teocracia obstinada, fundada em dogmas autopreservadores e na conveniência de um inimigo externo, Amós Oz propõe reescrever os códigos morais em favor de um único mandamento: não inflijas dor ao próximo, a ninguém. Todavia, só existiria um caminho para concretizar essa utopia humana: desativando as engrenagens do pesadelo desumano intitulado poder.

Sinto-me agora, como já disse, desobrigado de acompanhar o varejo e os varejistas da política, gente medonha, feiíssima, parceira de Lombroso e de uma estultice invencível. A salvo do *freak show*, não corro o risco de sonhar com nenhum ministro de tribunal superior.

Mas há ocasiões em que a indignação vence. Não tenho o menor interesse em levar a sério o que diz Donald Trump, já que ele próprio não se leva a sério, contudo li no *New York Times* uma notícia que me incomodou. Trump mandou expurgar do site oficial da Casa Branca uma área que falava das *disabilities*. Ou seja, de deficiências e de deficientes. Como entre as definições de *disabilities* estão, além das que afetam o físico, as que atacam a mente, pode ser que Trump tema que alguns de seus mais íntimos assessores se sujeitem a uma perigosa comparação.

Desculpem, não é o caso de fazer piada ou ironia.

Na lógica de Trump e de seus simulacros mundo afora, pela cartilha insensível da "meritocracia", os deficientes são os *losers* — os "perdedores", os "fracassados". Gente incapacitada — mesmo que à sua revelia — de aceitar os trepidantes desafios de um capitalismo competitivo e de um ultraliberalismo de terra arrasada. O modelo exige vigor, proficiência, ousadia, disposição — e, de preferência, pele branca e radical falta de escrúpulos.

A doença é um estigma social.

Assim pensa a "meritocracia" dos herdeiros, daqueles que já tiveram o caminho acarpetado pelo veludo de fortunas feitas sabe-se lá como — a "meritocracia" que berra, chia, esbraveja quando se tenta dar uma mãozinha aos que não nasceram no berço dourado do privilégio. De novo: juro que não queria chafurdar na política, aqui. Prometo me controlar. Por mais que haja momentos em que fique impossível desassociar a doença que está dentro da doença que empesteia lá fora. Mas não: o enguiço é aqui dentro.

Uma ficção que deu certo

Minas é uma das minhas muitas ambiguidades, não fosse a própria Minas uma exortação à ambiguidade. Passei a vida de mineiro trânsfuga como que diante dos movimentos clássicos da cozinha (e cozinha é coisa de que Minas se orgulha): às vezes você reserva, às vezes você rejeita.

Se alguém vier a contar que Minas Gerais é uma invenção de quatro cavalheiros brincalhões e de ilustre caligrafia, em momento especialmente encharcado de uísque numa mesa de bar em Ipanema, faça o seguinte: acredite. Nós, os mineiros, não nos importamos. Na verdade, temos — assim como os gregos e os irlandeses — grande apreço pelos labirintos do mito.

Mesmo que não tenha sido bem assim como decreta a lenda; ainda que uma certa Minas Gerais preceda no tempo e no espaço às libações alegóricas dos Sabinos, Pellegrinos, Lara Resendes e Mendes Campos e imponha uma presença territorial que vai além do tecido translúcido da literatura; apesar de tudo isso, não é incorreto supor que a Minas a quem o resto do país atribui virtudes peculiares (apelidadas de "mineiridade" ou, que seja, "mineirice") sai melhor na foto quando assume o figurino da ficção. Como sugeria aquele faroeste clássico, se a lenda for melhor que a realidade, imprima a lenda.

Essa Minas da qual tanto se fala é imaterial e incorpórea. Como se diz em Minas, um estado de espírito. Não por acaso a ideia fantasmagórica que enverga o nome Minas serve, em primeiro lugar, aos mineiros como eu que não estão em Minas, de forma a nos assegurar um projeto de identidade comum e um lar de fantasia (o "retrato na parede", do poeta Drummond), estando nós num boteco do Rio, em Honolulu ou em Timbuctu (acreditem, há com certeza mineiros no profundo coração da África).

O mineiro que não está em Minas, como eu, recolhido a São Paulo, é como o inglês do conto de Jorge Luis Borges, exilado num pardieiro portenho: padece de irrealidade. Nascemos com um senso de inconcretude, mesmo que tenhamos tido, no berço, a vizinhança bem real do pico do Itabirito ou, sei lá, da avenida Afonso Pena. Por isso mesmo é difícil agarrar Minas Gerais pela mão. Minas, monumento à ambiguidade, escapava de mim quando eu queria me apegar, grudava em mim quando eu buscava fugir dela.

A metáfora vem do solo. Se a terra é às vezes ferrosa, nossas rochas, até elas, são de natureza porosa, como se o alicerce de nossa cidadania estivesse fundado em pedra--sabão, a maleável matéria-prima da estatuária colonial.

Disse "fantasmagórica" e não exagero. Ninguém retratou melhor as igrejas de Ouro Preto, acervo de nosso mais esplendoroso século, do que o fluminense Alberto da Veiga Guignard. Suas igrejas flutuam no ar, como espectros ilusórios que se desprendem do chão e de todo e qualquer compromisso figurativo.

Para quem duvida dos dons imateriais da antiga Vila Rica, sugiro uma visita que comece bem na hora adequada do crepúsculo. Crepúsculo é sinal de agonia, e Ouro Preto brilha e brinca sob a mortalha colonial de sua fingida decadência. Há aquela última curva da estrada e, de repente, no torpor mágico das primeiras lâmpadas tímidas, horário tépido das derradeiras reverberações do dia, do manto de luz mortiça e intermitente do casario caiado, assomam como que sombras indecifráveis, o trêfego fogo-fátuo de existências passadas.

É, nem sempre dá para entender a alma de Minas. Minas nasceu barroca, tortuosa e contraditória, e assim continua sendo, como esquecida do tempo, num prazer solidário de confundir. A complexidade é outra das alardeadas virtudes nativas, embora sempre haja alguém querendo dizer a você: "Olha, é assim, é, veja como é simplesinha a coisa". O Aleijadinho reproduziu nas imagens dos santos a dor física que ele próprio sentia, mas, quando as procissões expunham ao público aquelas esculturas contorcidas, os fiéis gargalhavam, em desaforo profano, já que era óbvia a identificação dos esbirros romanos com as autoridades constituídas. Aquilo que era sagrado virava comédia. Óbvio, aliás, não é uma noção adequada à condição mineira. Mineiro nunca é óbvio. Mineiro sempre acha que o caminho mais curto não é o que une, em reta, os dois pontos.

Mineiro se faz de bobo porque se acha inteligentíssimo. Nem uma coisa nem outra. No quesito intelectual, o que verdadeiramente nos exprime é a picardia — aquela autoironia que, a nós, protege mas que, aos outros, apunhala, com objetividade serena porém implacável de um cortesão do Renascimento em Florença. Mineiro é sério, às vezes soturno, quase melancólico, porque precisa de algum jeito disfarçar.

Somos paroquiais e provincianos na crença em nós mesmos, acobertados pelo glacê da tradição, para podermos ser, a partir daí, autenticamente cosmopolitas e genuinamente desenraizados no confronto com os alienígenas que se acham moderníssimos. A extensa diáspora de Minas não busca a Terra Prometida, mesmo porque sabe que a Terra Prometida é aquela que ficou para trás. Temos a ver, imigrantes impenitentes, menos com os judeus e mais com os sicilianos. A autoproteção silenciosa, a omertà, é também um ensaio de máfia em que a polenta perdeu para o pão de queijo.

A tolerância é com certeza a mais superavaliada das virtudes locais, assim como a determinação é a mais desprezada. A tolerância não encontra respaldo nem na história ancestral, borrada de sangue, nem nas páginas de política dos recentes matutinos. Passem em revista os últimos governantes e me expliquem como é que teimosia se afina com tolerância. A frase de ouro é esta: "Minas não briga, mas também não faz as pazes". O embaixador Aparecido a atribuiu ao ex-governador Garcia; o ex-governador Garcia a repassava ao embaixador Aparecido.

"Mineiro só é solidário no câncer", teria dito Otto Lara Resende, frase que o escritor, mineiramente, renegou. A questão é, como recomenda o espírito da terra, mais intrincada. O mineiro sabe que são os inimigos que o qualificam e não — nos desculpem — os amigos.

Minas sempre muda para ficar igual. Quer dizer: muda e fica igual. Não perde a identidade. Não tem pressa de chegar ao futuro, mas, quando os outros chegam lá na frente, eis que já encontram por lá os mineiros.

Como nas despedidas mineiras, há sempre um derradeiro dedinho de prosa a trocar. É que tinha esquecido, muito oportunamente, que podem causar certa estranheza e razoável perplexidade tais meditações tão sinuosas como as frisas dos altares barrocos de São João del-Rei. Explico e me desculpo. Mineiro tem dessas coisas: complica de propósito, dizendo que é para simplificar.

Ponto e vírgula

Desejo é uma das colunas sagradas da psicanálise. Tem status, postura e pedigree. Desejo é muito mais do que querer. Pode acontecer de, de repente, eu querer alguma coisa. Minha psicanalista eleva essa minha rara comichão de vontade própria, seja ela qual for, à ilustre condição de "desejo". Desejo embute um sentido simbólico. Gosto de ouvir que ainda desejo. Não existe vida sem desejo. O desejo excita a vida.

Meus desejos, a esta altura, são de uma modéstia pedestre, embora emotiva. Quero comprar um livro de dinossauros, um desses bem ilustrados, bem didático. Dinossauros, imagino eu, podem me aproximar dos meus netos. Com pterodátilos e tiranossauros, quem sabe, poderemos, eu e Olívia e Daniel, frutos venturosos da Júlia e do Antônio, entabular digressões acerca do tema da ferocidade animal e da dieta alimentar dos ditos-cujos. Sei que exagero. Dinossauros ganharão, se tanto, cinco minutos da atenção deles, sendo logo logo irremediavelmente derrotados pela Ladybug e pela Peppa Pig.

Meu acervo de histórias não os seduziria. São histórias fundadas no real, ainda que minha longa jornada através do jornalismo tenha me viciado em distorcê-las. O real não emociona uma criança. Uma roteirista afamada que nos visitou um dia desses foi apresentada à Olívia como "contadora de histórias". Ela se prontificou a contar "uma história de verdade". Olívia se levantou do sofá, foi até a cesta de livros e voltou com um conto de fadas para que a visitante lesse para ela.

Desde a Xerazade, a autêntica, a narrativa é uma ferramenta de conquista. Certa moderação é aconselhável. A convivência com os franceses, nesse tópico, é altamente didática. Tão logo você chega ao segundo parágrafo de uma história pessoal sua, o interlocutor irá interromper: "*Tu vas pas me raconter tes souvenirs d'enfance...*". Não, perdão, estou parando por aqui.

Já que façanhas jornalísticas me faltaram, em carreira plana na qual o máximo de intrepidez investigativa resultou em descobrir que o vinho que Giorgio Armani e sua trupe tomavam naquele restaurante vizinho a um cemitério em Saint-Barts era um Chablis normal, tive de reservar para plateias adolescentes o único evento épico capaz de romper-lhes o tédio blindado. Soam trombetas: um episódio de guerra. Nicarágua, 1979, a ofensiva final dos rebeldes sandinistas contra a já cambaleante ditadura Somoza.

Meu percurso de um par de semanas por lá foi regido pelo Santo Acaso, que me acobertou dos franco-atiradores, e foi coroado por um abrigo na embaixada do Brasil, quando o hotel se viu sob ameaça de bombardeio, e pela retirada sob os auspícios da embaixada dos Estados Unidos num daqueles Hercules que a gente vê no cinema transportando paraquedistas.

De notável nada fiz, só testemunhei: um repórter de TV ser fuzilado à queima-roupa e um fotógrafo levantar voo, a bordo de suas muitas arrobas, pelo impacto de um torpedo. Mas notável mesmo foi o que presenciei na figura do casal de colegas que, assim como eu, teve de pernoitar em colchonete no improviso da nossa legação diplomática. O fato de haver umas trinta pessoas estiradas naquele ambiente inamistoso não impediu uma fornicação insistente por parte do casal. Os dois, sim, autênticos heróis de guerra. Mais que em expectativas e, vá lá, desejos, minha ânsia agora, neste preciso átomo de tempo, se foca no ponto--final. Vamos ver se consigo me explicar. De um ponto de vista mais literal, devo dizer que o ponto, como elemento de escrita, sempre me fascinou, assim como me fascina o comportamento dos que o ignoram sumariamente em seus relatos, substituindo-o, em frases que não terminam jamais, por uma sequência de "onde", "cujo", "quando", "no qual" e outros apêndices providencialmente incorretos. Em eventuais ocasiões em que (sic) fui recrutado para falar sobre texto, apenas um conselho tinha eu a dar. "Usem o ponto", bradava, com entusiasmo de evangelista. "Sem constrangimento. O ponto não foi feito para humilhar ninguém."

Chego a um ponto (sic, sic) em que o tema sai do chão para a metáfora. O ponto, final não por acaso, traz o sentido de um encerramento, e é o que me desafia, aqui e agora, tanto neste livro quanto pelo que pode vir além dele. Editei, tempos atrás, o depoimento de um capitão da indústria que, por modéstia, não tencionava botá-lo nas livrarias, e sim com ele contemplar os amigos — se bem que fossem centenas, os amigos.

Texto na mão, prontinho, o depoente passou a passear

uma caneta inútil parágrafo após parágrafo, prorrompendo em superlativos e hipérboles, com foguetório de Ano-Novo chinês, cada vez que citava alguém. Assim, a gente ia corrigindo, mas logo a caneta voltava a trabalhar. Entendemos que ele temia, com o ponto-final, pôr termo a mais do que um simples relato. Felizmente, o livro se concluiu e meu personagem goza de saúde de ferro.

Não tenho a mesma certeza a meu respeito.

Um antropólogo no sus

Tenho me encontrado com um Brasil que desconheço, e é como se esse olhar estrangeiro, e súbito, acendesse em mim um foco de generosidade antropológica que eu julgava perdido no fim da minha trajetória universitária. É antropologia o sus, pura antropologia, nas filas confusas, na barafunda premeditada, no elevador enguiçado a quem, dizem, dia sim, dia não, o técnico estoico vem socorrer, tudo isso acompanhado de uma cortesia inesperada, a começar pela amabilidade da médica cubana de nome chinês.

Precisei de um instrumento de respiração e o consegui num par de dias sem me ver obrigado a saltar por cima de macas com seres exangues amontoadas em corredores purulentos. Talvez seja assim em outros lugares, mas ali não é, tanto que a equipe da Globo que por lá passou naquela mesma manhã desistiu de gravar imagens por absoluta ausência de dramaticidade.

Antropológica é também a experiência de acorrer à Justiça do Trabalho naquele prédio que será fatalmente,

170

para todo o sempre, "o prédio do juiz Lalau". Etnografia política, quero dizer, já que para lá convergem as tensões de nossa realidade escravocrata, em especial agora que a Justiça tem a respaldá-la um acervo legal que lhe permite perpetuar alegremente a injustiça.

Em vez da médica cubana, quem estava do outro lado do balcão era uma magistrada carrancuda, que aproveitou a circunstância — a de trabalhar na instrução de uma ação que envolvia uma potência midiática e um jornalista calejado — para estender infinitamente a audiência, prolongando o calvário dos desgraçados que esperavam na fila, do lado de fora. Não recomendo a ninguém o contato com a cara mais horrenda do Brasil que é a, hum, Justiça do Trabalho.

O mínimo que posso fazer, a esta altura, é me eximir das coisas chatas, se bem que "não há ninguém capaz de me causar tanto embaraço como eu mesmo" (surrupiei essa frase de John Malkovich, a quem invejo por um tanto de coisas, como o fato de ter tido Michelle Pfeiffer nos lençóis, em *Ligações perigosas*, e o de viver em Portugal há mais de dez anos, embora eu desconfie que ser sócio de um restaurante hypado no novo Cais do Sodré possa lhe trazer o aborrecimento do convívio com aquele tipo de brasileiro folclórico que antes preferia Miami a Lisboa).

O duelo diário comigo mesmo consiste em tentar me esquivar da voragem obsedante da patologia. Viver para a doença ou para a vida? Se você vacila, os rituais da cura impossível que espreitam a cada sugestão de novidade terapêutica suprimem todo e qualquer espaço de devaneio e prazer. Tento me lembrar daquele amigo bonachão para quem "não existe doença, existem doentes". Quem sabe assim um passe bastasse, do babalaô ou do johrei, do pastor charlatão ou do João de Deus.

Raramente vou ao cinema e acho que, dentre os amigos, ninguém vai, pois as conversações na atualidade enveredam fatalmente pela enumeração de seriados vistos nas Netflix e HBOS da vida. "Mas *este* você não viu?" — e é como se o inferno da ignorância escancarasse as portas para me receber. Acato as sugestões, dentro do possível e no limite da minha rabugice, e confesso que o streaming é hoje um bem-vindo companheiro.

Uma noite engaiolada dessas, o acaso nos conduziu a um filme de Bille August. "Acaso" é um termo injusto — o dinamarquês August nunca deixa de trazer na sua filmografia o selo de certa distinção. O filme era *Silent Heart*. O marido médico tenta administrar, num fim de semana familiar, a morte induzida da mulher. Ela sucumbiu ao pânico de uma doença degenerativa. Prefere partir. Em determinado momento, o nome do capeta é pronunciado: Esclerose Lateral Amiotrófica. Marta me olhou, entre a dúvida e o constrangimento, mas fomos até o fim, eu me divertindo com os percalços da verossimilhança. Era como se experimentasse o conforto de pensar: disso eu entendo.

Madeleines mineiras

Ao me deitar ontem, tive uma sensação estranha nas instâncias inferiores. Tinha acabado de ejacular. Foi um ato intempestivo, nem sequer alguma ereção prévia eu percebera. Eu não estimulara minimamente o resultado. E tinha os olhos bem abertos, o que desmentiria a possibilidade de que estivesse sonhando com aquela Julia Roberts que corria, de shortinho, pelas vielas de Veneza no filme que o Woody Allen fez só para ter o direito de beijá-la.

Um sublime fenômeno da condição viril acabara de se inscrever no rol de minhas novas atividades reflexas, involuntárias.

Esperava de mim mesmo uma explosão de inconformismo, mas o que me resta, na percepção dos limites que vão me espremendo em círculos concêntricos, é uma resignação diáfana, sem desespero e sem esperança. A memória me distrai, não quero que ela venha a ser socialmente excessiva, no entanto relacionar sombras do passado com experiências do momento tem a sua graça.

Minha fonoaudióloga, empenhada, entre fricativas e

sibilantes, em preservar em mim uma clareza oral que vai sendo perdida, costuma fechar a sessão semanal me pedindo uma leitura. Uma página, duas no máximo.

Busquei um Hemingway em momento tourada, com deleite selvagem dos *pasos dobles* de Antonio Ordóñez, o que arranhou a sensibilidade da "professora", e, em outro dia, compensei com o Hemingway da Paris que é uma festa, enlevado com a primavera que ressuscitava o verde do Jardin du Luxembourg. Como definitivo gesto de gentileza para com a moça, tirei da estante o livro do Palmeiras escrito pelo Mario Prata, tão melhor do que o próprio assunto a ponto de ter virado filme.

Ousei, dias atrás, o livro 1 da *Recherche*, o que se revelou um desafio muito acima de minhas atuais possibilidades fonéticas. Fui tropicando por aquelas frases amazônicas, insensível às pausas, arfando em busca de vírgulas que se escondiam de mim — um desastre. Mas uma inesperada injunção me conduziu do Proust traiçoeiro aos restos do café da manhã ainda expostos à mesa.

Ali jazia um pedaço de bolo de fubá que eu mordiscara. Por décadas eu fora sitiado por esses clássicos da culinária mineira e os rejeitara a todos, ou quase todos — menos o pão de queijo e a rosca da mamãe —, uma vez que a adesão gulosa significaria submissão à tirania dos valores familiares da mesa. O bolo de fubá, a broa de milho, eram, percebi num relance, o avesso da madeleine proustiana, uma recordação *plutôt* nefasta do que reconfortante.

Corri até a mesa e devorei o que sobrara do bolo, com um apetite que compensava décadas de estúpida teimosia. Assim, me reconciliei comigo mesmo.

Uma educação convencional, como a que tive, ainda que coroada de afeto, se traduzia à mesa, para a criança que eu fui, como uma tremenda barreira ao livre-arbítrio. Sei

174

que exagero, que a presença do bife de fígado, com suas estrias invencíveis, ou do refogado de abobrinha, tão saboroso quanto um suflê de chuchu, poderia muito bem ser temperada com um molho de fair play, e percebo hoje como meus netos conseguem extrair da comida o prazer da liberdade. Eu não, eu era um oprimidinho silencioso. A mesa era a masmorra da minha sufocada autodeterminação.

Ao chegar a Paris, aos dezenove, é que o paladar foi alforriado, e devo confessar que a primeira epifania gastronômica que me prorrompeu à boca não foi nem o foie gras nem o escargot nem uma *andouillette* malcheirosa, delícias que hoje me arrancam lágrimas desatinadas. Enlouqueci com uma barra de Toblerone. Na época, só indo à Europa para provar. Mastiguei aquela tora com apetite de última refeição antes do fuzilamento. Sério: Proust que me perdoe, mas minha madeleine não ia além de um naco de chocolate industrial.

As trufas brancas de Alba iriam suscitar, muitos anos depois, um transe semelhante, com a diferença de que você não as encontra na padaria da esquina. Num fim de ano, em Roma, em plena *stagione tartufaia*, a Marta cuidou para que o aroma sacrossanto daqueles pequenos tubérculos não infestasse o apartamento que alugamos, no Borgo Pio, aos pés do Vaticano. Envolveu-os num plástico resistente e amarrou-os do lado de fora da janela, a salvo das bicadas gulosas dos lendários corvos romanos. O Corey, meu genro, como um típico americano que desconfia de sabores desconhecidos, rejeitou: "*You can keep your one million dollar truffle*". Mas bastou provar o singelo talharim na manteiga salpicado de rodelas de trufa para se converter.

Insisto: a mesa pode desatrelar alguns de nossos mais íntimos fantasmas. Participei, na condição de porta-voz, de uma campanha do Mário Covas. Era uma função espinhosa, especialmente se você lembrar que tinha a observar a arrastada caravana eleitoral do PSDB o olhar inteligente do repórter do *Estadão*, um certo Xico Sá. Ainda assim, consegui me divertir. Conheci o PSDB no seu nascedouro, e não era preciso possuir dotes de vidente para adivinhar o que o partido seria no dia em que Covas viesse a faltar.

Covas era um espanhol turrão, e seu humor só fazia piorar à medida que a catástrofe eleitoral se desenhava. No corpo a corpo improdutivo com eleitores desorientados, ele levantava os olhos para o céu, em súplica silenciosa, senha que fazia disparar um de seus assessores em direção à padaria mais próxima, em busca de meia dúzia de pastéis daqueles encharcados de gordura. Pastel de feira, então, contrabalançava de imediato o sacrifício de ser candidato de um partido que ainda era apenas uma miragem. Outra coisa que aliviava Covas era narrar antigos episódios da política. Aprendi muito com ele.

Certa manhã sombria, fui encontrá-lo em sua casa para partirmos para uma daquelas colheitas de voto sabidamente infrutíferas. Não admira que o humor do candidato estivesse bastante murcho. Fiquei num canto com um olho no jornal, outro nele. Dona Lila servia o café com uma dedicação olímpica. Botou à frente do marido um prato com dois kiwis. Das profundezas do diafragma de Covas assomou um rugido. Penso ter ouvido: "Mas que diabo é isso?". Kiwis eram tão novidade no início dos 1990 quanto, sei lá, telefones celulares.

Dona Lila e eu nos entreolhamos. Pressenti que a jornada seria apavorante e tentei conciliar, com uma explicação duvidosa:

— Kiwi é uma mistura de melancia com pera.

176

— Melancia com pera? — resmungou Covas. Afastou o prato com raiva e, pressentindo que o pânico se instalaria nas nossas fisionomias, deu uma formidável gargalhada.

— Vamos lá, ó Assombração — esse era o apelido com que me brindara, em função de minha aptidão em me desmaterializar em situações recomendáveis. — A rua nos espera. Temos muitos votos a perder hoje.

Covas esperou outros quatro anos para ser governador de São Paulo.

Comecei aqui a falar em ereção e prossegui com o tema comida. Tem com certeza a ver. Meu avô pecador não era, por conta de seus dramas estomacais, um bom garfo. Alimentava-se com uma moderação que não fazia jus a seu corpanzil. Como padre e, antes disso, como seminarista, deve ter sido submetido à clássica dieta capaz de aplacar os sobressaltos constrangedores da libido. Os padres-cozinheiros botavam salitre na comida. Os espermatozoides se aquietavam, resignados. Felizmente não devia haver salitre à venda em Oliveira (Minas Gerais) no início do século passado — quando ele conheceu vovó.

Não vai ter Copa

A fantasia nem sempre é luxuriante como no conto de fadas; ela pode ser de uma banalidade rasteira. Na virada de 2017, tudo o que eu fantasiava era, de minha cadeira, me transportar até a Rússia. A Copa do Mundo se iniciaria em junho, e eu me perguntava, esbofeteado dia após dia pela implacabilidade da síndrome degenerativa, se chegaria lá. Afinal, Mundial acontece só de quatro em quatro anos, e a certeza que tenho é que, se viesse a navegar até o improvável 2022, no Catar, haveria de ser incapaz de distinguir a Croácia da Coreia, ou de exalar, em estado vegetal, uma escassa emoção.

Cheguei a 2018, sólido e firme como uma gelatina, incapaz de estender ao horizonte projetos de remoto alcance. A Copa abriu uma exceção nada excepcional para quem tem no futebol uma droga estimulante. Veio a Copa e, no entanto, encontrou em mim um daqueles milhões de brasileiros de grito embotado no gogó e dilema instalado no diafragma: dá pra torcer? Não faz a menor diferença agora, mas devo confessar que não torci — e pela mais torpe das razões.

Meu problema não era a Seleção, ou o treinador, ou a CBF corrupta, ou o governo ilegítimo, ou a mídia ufanista, ou os comentaristas idiotas, nem mesmo, acreditem, os achaques caricatos do júnior Neymar. Desde a Copa de 1970, quando me deleitei com a equipe mágica que se excedia no México enquanto militantes eram selvagemente torturados aqui nos calabouços da ditadura, eu busquei separar futebol e política. E era bem mais penoso o dilema. Em ano de desgosto, torci com gosto.

Em 2018, o que me embotou o espírito foi a perspectiva de compartilhar euforia com aquele mesmo elenco que, envergando a fatiota verde-amarela, exibiu nas ruas sua hipocrisia antidemocrática depois de perder a eleição de 2014. Eu ansiava simplesmente me vingar do povo brasileiro. Ou pelo menos da facção mais selvagem e ignorante dele. A derrota tampouco me alegrou.

Portugal, onde quer que ele apareça, seja pelos pés de Cristiano Ronaldo seja nos tiques nervosos do treinador da Seleção, é um gatilho para me despertar de novo para o enredo familiar. Cantei o hino na Copa, senti, "entre as brumas da memória, a voz dos egrégios avós que há-de guiar-te à vitória!". Dissipada a epopeia, penso: pelo menos o passaporte tenho de fazer. Nem mesmo para viajar, só para pertencer.

Vibrei, no fim, com o *beau cadeau* que os Blacks-Blancs--Beurs me ofereceram, nessa que foi, sim, minha derradeira Copa do Mundo. Página virada, é hora de despistar as humilhações miúdas do cotidiano não mais com miragens de longo prazo, e sim com tarefas de produtivo diversionismo. A ampulheta-cotonete, aquela que demarcaria a hora fatal, ficou sem efeito. Seja como for, o destino avança.

O tempo joga contra. Sinto com clareza as sequelas que ele me impõe. Gripes prosperam. Não são gripes comezinhas, eu sei — são a expressão de novas fragilidades. Agreguei uma pneumologista ao meu batalhão de aventais brancos. Ela me prescreveu um remédio eficaz. Não costumo ler bulas, mas não resisti. Recomendado, entre outras proezas, para atacar fungos vaginais.

Uma noite dessas, visitando meu *copain* Stendhal, revi a apavorante palavra "apoplexia". Incorporei-a às minhas cismas.

As muralhas do meu estoicismo estão ruindo como as do antigo Templo de Salomão — o original, bem entendido. Pelas frestas silenciosas esgueiram-se as ervas daninhas da raiva e da frustração. O pior está acontecendo. Junto com o fôlego escasso, fraquejam as palavras. Elas, que continuam me encharcando os sonhos, se rarefazem no contato social. O vão clichê: medir as palavras. Criteriosamente. Com a métrica da frustração antecipada. Articular uma frase inteira tem de caber no espaço de um sopro. Balbucio. Num par de meses, minha neta mais nova, Laura, presente da Maria e do Pedro, estará falando mais do que eu. Já não alcanço a amplitude melódica de um verso alexandrino. "Antes a morte, que este horrível calabouço" (Raimundo Correia). Os pulmões tramam uma armadilha letal. Terei de me calar.

O processo do fim

Sou hoje a minha mão direita. De todas as roldanas, polias, gruas e alavancas subcutâneas que comandam, com competência invisível, nossos movimentos, este é o único item da anatomia que não me traiu miseravelmente. A mão direita. Sou destro — aleluia! Tentam me incutir outros consolos. "Mas a cabeça funciona." Funciona, sim, na produção incansável de absurdos patéticos e opera como um despertador que, minuto a minuto, soa o alarme de meus limites insuperáveis. A consciência dá notícia *da dor que nem sequer sinto.*

O País da Doença é um país totalitário. Decreta o pensamento único, obcecado pela sina degenerativa. Ninguém escapa da tirania da doença. Como na alucinação de Orwell, a síndrome totalitária sonega o futuro, já que prisioneira do presente. E o passado só serve para caluniar o presente com a inescapável culpa de tantos "por que não?". Um inventário torturante do que eu poderia ter feito — e não fiz. O que poderia ter sido — e não foi.

Meus dedos vacilam sobre o teclado. Depois de tantas décadas de assiduidade na escrita jornalística, eu me convenci de que penso com os dedos. Eles são donos de uma autonomia que precede qualquer raciocínio encadeado — se é que o raciocínio chega eventualmente a se encadear. A lógica, quando existe, será sempre uma mera consequência do impulso automático da datilografia. Assim, produzi resmas e resmas de páginas que, em sequência, dariam várias voltas ao mundo. Temo ver um astronauta embrulhado no papelório.

Ao desvelo médico incuravelmente otimista, eu me submeto à novidade bizarra do estômago perfurado e, depois, abotoado. Poupo os detalhes naturalistas. Posso escolher — entidade biônica — por que canal me alimentar. As iguarias, consigo reservar para a boca; as obrigações dietéticas fluem pelo cateter. A nutricionista camarada estala os beiços ao mencionar um pudim de leite. Invejável regime: posso, e devo, me encharcar de doce e de delícias engorduradas. O pesadelo é perder peso.

O update das engrenagens auxiliares demonstra que já foram para o porão do esquecimento as bengalas, os andadores, todo tipo de apoio ergométrico. Uma cadeira abastecida por uma tomada elétrica, capaz de longa autonomia e velocidade alucinante, me convida ao desafio das calçadas que saracoteiam num desfiladeiro de pedras. Crianças olham, entre invejosas e assustadas. Olívia tem pânico.

Será que a Olívia vai se lembrar de mim? Que eu tinha barba e falava esquisito? Que eu servia música para ela dançar? Olívia tem cinco anos — "cinco anos e meia", ela corrige. A esperada recompensa da memória é madrasta. Quando eu mesmo busco aqui os mosaicos esparsos que se encaixem num retrato de minha avó e de meu avô, me ressinto de lacunas monumentais e me farto de impressões equívocas.

Meu avô me aparece invariavelmente de terno e gravata. Nas alamedas das estações de água, naqueles momentos em que vovó, na ponta dos pés, alçava-se do solo para despejar sobre vovô os dardos de sua paixão. Mas será que nem mesmo nas refeições de todo dia o patriarca se permitia a intimidade das mangas de camisa? Não consigo vê-lo assim. Em buracos da memória como os de um queijo emmenthal, recordo, sim, a sopa obrigatória, no almoço tanto quanto no jantar, fosse inverno ou verão. Sopa, água fervida — proposta não gastronômica, meramente higienista, relíquia de tempos pestilentos num Portugal pré-histórico.

Vejo-o em gargalhada colossal numa Páscoa em família — ele e todos os outros, vovó, papai, mamãe, a desfrutar minha patetice. Encerrado o almoço, uma cesta de ovos de chocolate compareceu à mesa. Nela, destacava-se um, imponente, rotundo. Combinaram, os adultos, que, a um determinado sinal, as crianças avançassem sobre os ovos. O que foi feito, para deleite do Paulo, que alcançou o objetivo cobiçado antes de mim. Reclamei, chorei, aleguei trapaça, brandindo minha condição de primogênito.

Os adultos trataram de intervir, propondo voltar atrás. Para minha surpresa, o Paulo devolveu o mimo sem protestar. Na nova contagem, eu me antecipei e saltei sobre o chocolate gigante. O celofane murchou ao meu apertão. Miseravelmente vazio. Paulo me olhou com aquela simpatia que dissimula o triunfo. Vitória dupla do espertinho.

Eu me espantava com a provisão de pílulas e mais pílulas coloridas que repousava na cabeceira do vovô. Ao menos, ele não a alardeava, como faria depois a vovó, em orgulhosa exibição de seus achaques — reais e imaginários. Hoje sei que remédios são o arsenal de um velho. Que podem ser meros placebos. Meus comprimidos e minha cura traçam caminhos inconciliáveis, que não se encontram sequer no infinito.

Uma última mentira

Mentir dá remorso. E não mentir é um dom
que o mundo não merece.
Clarice Lispector

Estas palavras contêm um silêncio. Esgueiram-se, entre sussurros entrecortados, no soluço de mistérios murmurejados, em busca de frases que façam sentido, sujeito e predicado em sequência que articule a coerência de uma história que, no entanto, aconteceu. Há provas de que aconteceu. Talvez nos baste agora, uma vez que os protagonistas se foram e as testemunhas se calaram, o fascínio reticente do enigma, ainda que apresentado numa colagem de impressões fugidias e numa colcha de suposições vagas. Não aspiro à verdade. A verdade tem seu fardo. E compreendo agora: por isso o tabu prevaleceu.

Contei mentiras ao longo da vida, e é bem possível que a maior delas tenha sido a de que a mentira faz algum sentido ao ser contada. A ética tortuosa do trapaceiro trama com o descuido, a boa-fé, a ingenuidade de alguém que será trapaceado. Numa ponta ou na outra, a trapaça pode se acobertar numa coisa chamada amor. Mas ninguém é tão trapaceado quanto o próprio trapaceiro. Mentiras, eu disse. Mas, assim como se preveniram a vovó e o vovô, foi no vazio das omissões onde eu usava me albergar, no abismo dos silêncios e no labirinto do subentendido. Tanto que, ao anunciar para quem de fato me conhece a arquitetura dupla do livro sonhado, ouvi mais de uma vez a admoestação merecida: "Você vai é se esconder atrás da história de seus avós".

Acredito que o silêncio ardiloso que protegeu meus avós tinha o legítimo aval das circunstâncias. Foram sinceros e corajosos, os dois. Meus silêncios foram premeditados, lacunas de covardia, omissões às vezes ignominiosas. As convenções sociais criam artifícios de verdades, de que as palavras são cúmplices. Ao tentar seduzir, elas se distraem de seu próprio significado, de sua intrínseca coerência.

Acuados pela verdade dos outros, minha avó e meu avô criaram a sua própria verdade — íntima, segredada, com certeza doída, difícil de compartilhar, impossível de explicar. Uma verdade, esta sim, sem dogmas e sem parâmetros, já que construída ao calor de cada dia no improviso do amor.

Hoje, o olhar amortalhado que trago, na vã tentativa de me proteger da minha realidade cruel e cotidiana, pode ser que embace mais ainda o discernimento do que é e do que não é verdadeiro. Comecei este livro na euforia de deslindar candidamente um thriller familiar, termino-o com a frustração cabisbaixa de quem encontrou, na angústia de um grito seco, seu limite humano e existencial.

Sou o que está aqui, nada além disso. Romper com a asfixia do silêncio foi o que tentei. Era o máximo que conseguiria fazer.

ESTA OBRA FOI COMPOSTA PELO GRUPO DE CRIAÇÃO EM MINION E
IMPRESSA PELA LIS GRÁFICA EM OFSETE SOBRE PAPEL PÓLEN BOLD
DA SUZANO PAPEL E CELULOSE PARA A EDITORA SCHWARCZ
EM MAIO DE 2019

A marca FSC® é a garantia de que a madeira utilizada na fabricação do papel deste livro provém de florestas que foram gerenciadas de maneira ambientalmente correta, socialmente justa e economicamente viável, além de outras fontes de origem controlada.